Rudolf Steiner Taschenbücher
aus dem Gesamtwerk

Rudolf Steiner

Die geistige Führung des Menschen und der Menschheit

Geisteswissenschaftliche Ergebnisse über die Menschheits-Entwickelung

RUDOLF STEINER VERLAG
DORNACH/SCHWEIZ

Herausgegeben von der Rudolf Steiner-Nachlaßverwaltung

1. Auflage Berlin 1911

Ungekürzte Ausgabe nach dem gleichnamigen Band
der Rudolf Steiner Gesamtausgabe
Bibliographie-Nr. 15, ISBN 3-7274-0150-8
9. Auflage Dornach 1974

Taschenbuchausgabe

1.–10. Tsd. Dornach 1974
11.–20. Tsd. Dornach 1979
21.–35. Tsd. Dornach 1983

Bestell-Nr. tb 6140
ISBN 3-7274-6140-3

INHALT

In den folgenden Ausführungen wird der Inhalt von Vorträgen wiedergegeben, welche von mir im Juni dieses Jahres in Kopenhagen im Anschlusse an die Generalversammlung der skandinavischen Theosophischen Gesellschaft gehalten worden sind. Was ausgesprochen wird, ist also vor Zuhörern gesagt worden, welche mit der Geisteswissenschaft oder Theosophie bekannt sind. Deshalb setzt es auch diese Bekanntschaft voraus. Es ist überall auf die Grundlagen aufgebaut, welche in meinen Büchern «Theosophie» und «Geheimwissenschaft» gegeben sind. Wenn jemand diese Schrift in die Hand bekommen sollte, der nicht mit diesen Voraussetzungen bekannt ist, so müßte sie ein solcher als kuriosen Ausfluß einer bloßen Phantastik ansehen. Die genannten Bücher zeigen die *wissenschaftlichen Unterlagen* für alles hier Gesagte.

Es ist die stenographische Nachschrift der Vorträge zwar von mir vollständig umgearbeitet worden; dennoch lag die Absicht bei Veröffentlichung vor, den Charakter beizubehalten, welcher der mündlichen Rede gegeben war. Dies soll hier besonders erwähnt werden, weil es im *allgemeinen* meine Ansicht ist, daß die Form von Ausführungen, die für das Lesen bestimmt sind, eine ganz andere sein muß als diejenige, welche für die mündliche Rede gebraucht wird. Diesen meinen Grundsatz habe ich auch bei allen meinen früheren Schriften zum Ausdruck gebracht, sofern dieselben für den Druck bestimmt waren. Wenn ich diesmal in engerer Anlehnung an das mündliche Wort diese Ausfüh-

rungen gebe, so geschieht es, weil ich Gründe habe, diese
Schrift gerade in diesem Zeitpunkte erscheinen zu lassen
und eine völlig dem obigen Grundsatz entsprechende Bearbeitung sehr lange Zeit beanspruchen würde.

München, 20. August 1911

Rudolf Steiner

I

Der Mensch, welcher sich auf sich selbst besinnt, kommt bald zu der Einsicht, daß er außer dem Selbst, das er mit seinen Gedanken, Gefühlen und vollbewußten Willensimpulsen umfaßt, noch ein zweites kraftvolleres Selbst in sich trägt. Er wird gewahr, wie er sich diesem zweiten Selbst als einer höheren Macht unterordnet. Zunächst wird der Mensch allerdings dieses zweite Selbst wie eine niedrigere Wesenheit empfinden gegenüber demjenigen, das er mit seinem klaren, nach dem Guten und Wahren neigenden vollbewußten Seelenwesen umspannt. Und er wird diese niedrigere Wesenheit zu überwinden trachten.

Eine intimere Selbstprüfung kann aber über das zweite Selbst noch etwas anderes lehren. Wenn man im Leben öfter eine Art Rückschau hält auf dasjenige, was man erlebt oder getan hat, so wird man an sich eine eigentümliche Entdeckung machen. Und man wird diese Erfahrung um so bedeutungsvoller finden, je älter man wird. Wenn man sich frägt: Was hast du in dieser oder jener Zeit deines Lebens getan oder gesprochen?, dann stellt sich heraus, daß man eine ganze Menge von Dingen getan hat, die man eigentlich erst in einem späteren Lebensalter versteht. Da hat man vor sieben oder acht Jahren, oder vielleicht vor zwanzig Jahren Dinge getan, von denen man ganz genau weiß: Jetzt erst, nach langer Zeit, reicht eigentlich dein Verstand so weit, daß du die Dinge verstehen kannst, die du damals getan oder gesprochen hast. – Viele Menschen machen solche Selbstentdeckungen nicht, weil sie nicht darauf ausgehen. Aber es ist außerordentlich fruchtbar, wenn der Mensch öfter eine solche Einkehr in seine Seele hält. Denn von einem solchen Moment, in welchem der Mensch gewahr wird: Du hast eigentlich in früheren Jahren Dinge getan, die du jetzt erst anfängst zu verstehen; damals war dein Verstand noch nicht reif, um die Dinge zu verstehen, welche du getan oder doch gesprochen hast, – von einem solchen Moment, in welchem man eine Entdeckung dieser Art macht, geht etwas aus wie die folgende Empfindung der Seele: Man fühlt sich wie geborgen durch eine gute Macht, die in den eigenen Wesenstiefen waltet; man fängt an, immer mehr und mehr Vertrauen zu gewinnen zu der Tatsache, daß man eigentlich im höchsten Sinne des Wortes doch nicht allein ist in der Welt, und daß alles das-jenige, was man versteht, was man bewußt kann, im Grunde genommen nur ein kleiner Teil dessen ist, was man in der Welt vollbringt.

Man kann, wenn man diese Beobachtung öfters macht, etwas, was ja theoretisch sehr leicht einzusehen ist, zu voller Lebenspraxis erheben. Theoretisch leicht einzusehen ist, daß der Mensch im Leben nicht sehr weit kommen könnte, wenn er alles, was er vollbringen muß, mit vollbewußtem Ver-stande, mit einer alle Verhältnisse überschauenden Intelli-genz vollbringen müßte. Um dies theoretisch einzusehen, braucht man nur die folgende Überlegung anzustellen. In welchem Lebensabschnitt vollbringt der Mensch eigentlich an sich selber die für das Dasein wichtigsten Taten? Wann handelt er am allerweisesten an sich selber? Das tut er un-gefähr von der Geburt an bis zu dem Zeitpunkte, bis zu dem er sich noch zurückerinnern kann, wenn er im späteren Leben zurückblickt auf die verflossenen Jahre seines Erden-daseins. Wenn man zurückdenkt an das, was man vor drei, vier, fünf Jahren und dann immer weiter zurück getan hat, so kommt man bis zu einem gewissen Punkt der Kindheit; weiter geht die Rückerinnerung nicht. Was davor liegt, können dem Menschen die Eltern oder andere Personen erzählen; aber die eigene Erinnerung reicht nur bis zu einem gewissen Punkt zurück. Das ist auch der Zeitpunkt, in welchem der Mensch gelernt hat, sich als ein *Ich* zu fühlen. Bei den Menschen, deren Erinnerung über die Lebensnorm nicht hinausgeht, muß immer ein solcher Lebenspunkt da sein. *Vor* diesem Zeitpunkte aber hat die menschliche Seele am Menschen selbst die allerweisesten Dinge getan, und niemals kann der Mensch später, wenn er zu seinem Bewußtsein gekommen ist, so Großartiges und Gewaltiges an sich selber leisten, wie er in den allerersten Jahren seiner Kindheit aus unterbewußten Seelengründen heraus vollzieht. Denn man weiß, daß der Mensch durch seine Geburt in die physische Welt das hineinträgt, was er mitgebracht hat als die Früchte der früheren Erdenleben. Wenn der Mensch geboren wird, ist zum Beispiel sein physisches Gehirn noch ein sehr unvollkommenes Werkzeug. Es muß nun des Menschen Seele in dieses Werkzeug erst die feineren Gliederungen hineinarbeiten, die es zum Vermittler alles dessen machen, wessen die Seele fähig ist. In der Tat arbeitet die Menschenseele, bevor sie vollbewußt ist, an dem Gehirn so, daß dieses ein solches Werkzeug werden kann, wie es gebraucht wird zum Ausleben all der Fähigkeiten, Anlagen, Eigenschaften und so weiter, welche der Seele eignen als Ergebnisse ihrer früheren Erdenleben. Diese Arbeit am eigenen Leibe ist von Gesichtspunkten geleitet, die weiser sind als alles dasjenige, was der Mensch später aus seinem vollen Bewußtsein heraus an sich tun kann. Und noch mehr: während dieser Zeiten muß nicht nur das geschehen, daß der Mensch sein Gehirn plastisch ausarbeitet, sondern er muß lernen drei der wichtigsten Dinge für sein Erdendasein.

Als erstes lernt er die eigene Körperlichkeit im Raume orientieren. Was damit gesagt ist, beachtet der heutige Mensch eigentlich gar nicht. Es wird damit einer der wesentlichsten Unterschiede des Menschen vom Tier berührt. Das Tier ist von vornherein bestimmt, seine Gleichgewichtslage im Raume in einer gewissen Art zu entwickeln; das eine Tier ist zum Klettertier vorbestimmt, das andere zum Schwimmtier und so weiter. Das Tier ist von vornherein so organisiert, daß es sich in richtiger Weise in den Raum hineinstellt; und das ist bis hinauf zu den menschenähnlichsten Säugetieren der Fall. Wenn die Zoologen über dieses Faktum nachdenken würden, so würden sie weniger betonen, daß zum Beispiel Mensch und Tier so und so viele gleichartige Knochen und Muskeln haben und so weiter; denn dieses kommt viel weniger in Betracht als die Tatsache, daß der Mensch nicht von vornherein die volle Anlage für seine Gleichgewichtsverhältnisse mitbekommt. Er muß sich diese erst aus seinem Gesamtwesen herausgestalten. Es ist bedeutungsvoll, daß der Mensch an sich selbst arbeiten muß, um sich aus einem Wesen, das nicht gehen kann, zu einem solchen zu machen, das aufrecht gehen kann. Der Mensch ist es selbst, der sich seine vertikale Lage, seine Gleichgewichtslage im Raum gibt. Er bringt sich selbst in ein Verhältnis zur Schwerkraft. Einer Betrachtung, welche nicht in die Tiefe der Sache dringen will, wird es selbstverständlich ein Leichtes sein, mit scheinbar guten Gründen dies zu bestreiten. Man kann sagen, der Mensch sei eben für seinen aufrechten Gang ebenso hinorganisiert wie zum Beispiel ein Klettertier zum Klettern. Ein genaueres Zusehen aber kann zeigen, daß es beim Tier die Eigenart der Organisation ist, welche das Hineinstellen in den Raum bewirkt. Beim Menschen aber ist es die Seele, welche sich in Beziehung zum Raum bringt und die Organisation bezwingt.

Das zweite, was der Mensch sich selber lehrt, und zwar aus der Wesenheit heraus, welche von Verkörperung zu Verkörperung als dieselbe weiterschreitet, ist die *Sprache*. Durch sie setzt er sich zu seinen Mitmenschen in ein Verhältnis, welches ihn zum Träger desjenigen geistigen Lebens macht, das die physische Welt zunächst von ihm aus durchdringt. Es ist oft mit gutem Grunde betont worden, daß ein Mensch, der auf eine einsame Insel versetzt würde und nicht mit andern Menschen zusammen wäre, bevor er sprechen kann, die Sprache nicht lernen würde. Was wir ererbt erhalten, was eingepflanzt ist für spätere Jahre, so daß es den Vererbungsprinzipien unterliegt, das hängt nicht davon ab, daß der Mensch mit seinen Mitmenschen zusammen ist. Er ist zum Beispiel von vornherein durch die Vererbungsverhältnisse dazu veranlagt, im siebenten Jahre die Zähne zu wechseln. Da könnte er auf einer einsamen Insel sein; wenn er nur die Möglichkeit hätte, heranzuwachsen, würde er die Zähne wechseln. Sprechen aber lernt er nur, wenn sein Seelenwesen als solches angeregt wird, als dasjenige, was von Leben zu Leben getragen wird. Der Mensch muß in jener Zeit den Keim für seine Kehlkopfentwickelung formen, in der er noch nicht sein Ich-Bewußtsein hat. *Vor* der Zeit, bis zu der er sich zurückerinnert, muß er den Keim legen zur Formung seiner Kehlkopfentwickelung, so daß der Kehlkopf zum Sprachorganismus werden kann.

Und dann gibt es ein Drittes, von dem es weniger bekannt ist, daß es der Mensch durch sich selbst lernt, durch das, was er in seinem Innern von Verkörperung zu Verkörperung trägt. Das ist das Leben innerhalb der Gedankenwelt selber. Die Bearbeitung des Gehirns wird aus dem Grunde vorgenommen, weil das Gehirn das Werkzeug des Denkens ist. Es ist dieses Organ im Lebensbeginne deshalb noch plastisch, weil der Mensch es selbst erst so formen soll, wie das Instrument seines Denkens im Sinne der Wesenheit sein muß, die von Leben zu Leben getragen wird. So wie das Gehirn unmittelbar nach der Geburt ist, so mußte es werden gemäß den Kräften, die von Eltern, Voreltern und so weiter vererbt sind. Der Mensch aber muß in seinem Denken zum Ausdruck bringen, was er als Eigenwesen ist, gemäß seinen früheren Erdenleben. Deshalb muß er sich die Eigentümlichkeiten seines Gehirns, die er ererbt hat, dann umformen, wenn er – nach der Geburt – physisch unabhängig von Eltern, Voreltern und so weiter geworden ist.

Man sieht, daß der Mensch in den allerersten Jahren seines Lebens bedeutungsvolle Dinge vollbringt. Er arbeitet im Sinne höchster Weisheit an sich selber. Er könnte in der Tat, wenn es auf seine Klugheit ankäme, das nicht vollbringen, was er *ohne* seine Klugheit in der ersten Lebenszeit vollbringen muß. Warum wird aus den Seelentiefen, die außer dem Bewußtsein liegen, dies alles vollbracht? Es geschieht aus dem Grunde, weil der Mensch in den ersten Jahren seines Lebens mit seiner Seele, mit seiner ganzen Wesenheit viel mehr angeschlossen ist an die geistigen Welten der höheren Hierarchien, als dies später der Fall ist. Für den Hellseher, der eine geistige Entwickelung durchgemacht hat, so daß er die wirklichen geistigen Vorgänge verfolgen kann, zeigt sich an dem Zeitpunkte, in welchem der Mensch sein

Ich-Bewußtsein so erlangt, daß er sich später bis zu diesem Zeitpunkte zurückerinnern kann, etwas ungeheuer Bedeutungsvolles. Während das, was wir die «kindliche Aura» nennen, in den ersten Lebensjahren wie eine wunderbare, menschlich-übermenschliche Macht das Kind umschwebt – so umschwebt, daß diese kindliche Aura, der eigentliche höhere Teil des Menschen, überall seine Fortsetzung in die geistige Welt hinein hat –, dringt in jenem Zeitpunkt, bis zu welchem der Mensch sich zurückerinnern kann, diese Aura mehr in das Innere des Menschen hinein. Der Mensch kann sich, bis zu diesem Zeitpunkte zurück, als zusammenhängendes Ich empfinden, weil dasjenige, was früher an die höheren Welten angeschlossen war, dann in sein Ich hineingezogen ist. Von da ab stellt das Bewußtsein überall sich selber in Verbindung zu der Außenwelt. Das geschieht im Kindesalter noch nicht. Da waren die Dinge für den Menschen so, als wenn sie wie eine Traumwelt ihn umschwebten. Aus einer Weisheit heraus, die nicht *in ihm* ist, arbeitet der Mensch an sich. Diese Weisheit ist mächtiger, umfassender als alle spätere bewußte Weisheit. Diese höhere Weisheit verdunkelt sich für die menschliche Seele, welche dann dafür die Bewußtheit eintauscht. Sie wirkt aus der geistigen Welt heraus tief in die Körperlichkeit herein, so daß der Mensch durch sie sein Gehirn aus dem Geiste heraus formen kann. Nicht mit Unrecht darf gesagt werden, von einem Kinde kann auch der Weiseste lernen. Denn was an dem Kinde arbeitet, ist die Weisheit, die dann später nicht in das Bewußtsein eintritt, und durch welche der Mensch etwas wie einen «Telephonanschluß» nach den geistigen Wesenheiten hat, in deren Welt er sich zwischen dem Tode und einer neuen Geburt befindet. Von dieser Welt strömt noch etwas ein in die kindliche Aura, und der Mensch ist da unmittelbar als einzelnes Wesen unterstehend der Führung der *ganzen* geistigen Welt, zu welcher er gehört. Die geistigen Kräfte aus dieser Welt strömen in das Kind noch ein. Sie hören auf einzuströmen in dem Zeitpunkte, bis zu dem die normale Rückerinnerung geht. Diese Kräfte sind es, die den Menschen fähig machen, sich in ein bestimmtes Verhältnis zur Schwerkraft zu bringen. Sie sind es auch, die seinen Kehlkopf formen, die sein Gehirn so bilden, daß es ein lebendiges Werkzeug für Gedanken-, Empfindungs- und Willensausdruck wird.

Was nun in allerhöchstem Maße in der Kindheit vorhanden ist, daß der Mensch aus einem Selbst heraus arbeitet, das noch mit höheren Welten in unmittelbarem Zusammenhange steht: das bleibt bis zu einem gewissen Grade doch im späteren Leben bestehen, trotzdem sich die Verhältnisse im angegebenen Sinne ändern. Wenn man in einem späteren Lebensabschnitt fühlt: man habe dies oder jenes vor Jahren getan oder gesagt, was man erst jetzt verstehen lernt, so hat man eben früher aus einer höheren Weisheit heraus sich führen lassen. Und erst nach Jahren ist man dazu gelangt, die Einsicht in die Gründe zu besitzen, nach denen man sich verhalten hat. Aus all dem kann man fühlen, wie man unmittelbar nach der Geburt noch nicht so ganz entlaufen war der Welt, in welcher man vor dem Eintreten in das physische Dasein war, und wie man ihr ganz eigentlich niemals entlaufen kann. Es tritt das, was man als seinen Anteil an höherer Geistigkeit hat, in das physische Leben herein und folgt einem. Oft ist es so, daß man fühlt: Was in einem gelegen ist, ist nicht nur ein höheres Selbst, das nach und nach ausgebildet werden soll, sondern es ist etwas, was schon da ist und einen dazu bringt, daß man so oft über sich selber hinauswächst.

Alles was der Mensch hervorbringen kann an Idealen, an künstlerischem Schaffen, aber auch alles, was er hervorbringen kann an naturgemäßen Heilkräften im eigenen Leibe, durch die ein fortwährendes Ausgleichen der Schädigungen des Lebens eintritt, alles das kommt nicht von dem gewöhnlichen Verstande, sondern von den tieferen Kräften, die in den ersten Jahren arbeiten an unserer Orientierung im Raum, an der Prägung des Kehlkopfes und am Gehirn. Denn es sind dieselben Kräfte später noch im Menschen. Wenn oftmals bei Lebensschädigungen gesagt wird, äußere Kräfte können uns nicht helfen, es muß unser Organismus die in ihm liegenden Heilkräfte aus sich entwickeln, so hat man ja auch eine im Menschen vorhandene weisheitsvolle Wirkung im Auge. Und weiter kommen aus derselben Quelle auch die besten Kräfte, durch welche man zur Erkenntnis der geistigen Welt gelangt, das heißt zu einem wahren Hellsehertum.

Nun liegt die Frage sehr nahe: Warum wirken die gekennzeichneten höheren Kräfte nur in den ersten Kindheitsjahren in den Menschen herein?

Die eine Hälfte der Antwort kann man leicht geben; denn sie liegt in folgendem. Wenn jene höheren Kräfte in derselben Weise weiterwirkten, würde der Mensch immer Kind bleiben; er würde nicht zum vollen Ich-Bewußtsein kommen. Es muß in seine eigene Wesenheit verlegt werden, was vorher von außen gewirkt hat. Aber es gibt einen bedeutungsvolleren Grund, der noch mehr aufklären kann als das eben Gesagte über die Geheimnisse des Menschenlebens; und das ist der folgende. Durch die Geisteswissenschaft kann erfahren werden, daß der menschliche Leib, wie er im gegenwärtigen Erdenentwickelungsstadium ist, als ein Gewordenes betrachtet werden muß, das aus anderen Zuständen sich zu seiner gegenwärtigen Form fortgebildet hat. Dem Kenner der Geisteswissenschaft ist bekannt, daß diese Evolution sich so vollzogen hat, daß auf die Gesamtwesenheit des Menschen verschiedene Kräfte gewirkt haben; gewisse Kräfte auf den physischen Leib, andere auf den Ätherleib, und andere auf den Astralleib. Die menschliche Wesenheit ist zu ihrer gegenwärtigen Form dadurch gekommen, daß auf sie jene Wesenheiten gewirkt haben, die wir die luziferischen und die ahrimanischen nennen. Durch diese Kräfte ist die menschliche Wesenheit in einer gewissen Weise schlechter geworden, als sie dann hätte werden müssen, wenn nur diejenigen Kräfte wirksam gewesen wären, die von den geistigen Weltenlenkern kommen, welche den Menschen in einer geraden Weise weiter entwickeln wollen. Es ist ja die Ursache der Leiden, der Krankheiten und auch des Todes darin zu suchen, daß außer den Wesenheiten, welche den Menschen in einer geraden Linie vorwärts entwickeln, noch die luziferischen und die ahrimanischen walten, welche die geradlinige Vorwärtsentwickelung stets durchkreuzen. In dem, was der Mensch durch die Geburt ins Dasein hereinbringt, liegt etwas, das besser ist als dasjenige, was in späterem Leben der Mensch daraus machen kann.

Die luziferischen und die ahrimanischen Kräfte haben in den ersten Kindheitsjahren nur geringen Einfluß auf das Menschenwesen; sie sind im wesentlichen in all dem nur wirksam, was der Mensch durch sein bewußtes Leben aus sich macht. Würde er länger als in den ersten Kindheitstagen denjenigen Teil seines Wesens, der besser ist als sein anderer, in voller Kraft in sich haben, so würde er der Wirkung desselben nicht gewachsen sein, weil die entgegenstrebenden luziferischen und ahrimanischen Kräfte seine Gesamtwesenheit schwächen. Es hat der Mensch in der physischen Welt eine solche Organisation, daß er die unmittelbaren Kräfte der geistigen Welt, welche in den ersten Kindheitsjahren an ihm wirksam sind, nur so lange an sich ertragen kann, als er gleichsam kindlich weich und bildsam ist. Er würde zerbrechen, wenn jene Kräfte, die der Orientierung im Raume, der Formung des Kehlkopfes und des Gehirns zugrunde liegen, auch im späteren Lebensalter noch in unmittelbarer Art wirksam blieben. Diese Kräfte sind so gewaltig, daß, wenn sie später noch wirken würden, unser Organismus hinsiechen müßte unter der Heiligkeit dieser Kräfte. Nur zu derjenigen Betätigung muß sich der Mensch an diese Kräfte wenden, welche ihn mit der übersinnlichen Welt in bewußten Zusammenhang bringt.

Daraus aber geht uns ein Gedanke hervor, der große Bedeutung hat, wenn er richtig verstanden wird. Er ist im Neuen Testament mit den Worten ausgesprochen: «So ihr nicht werdet wie die Kindlein, könnt ihr nicht in die Reiche der Himmel kommen!» Denn was erscheint als das höchste Ideal für den Menschen, wenn das als richtig angenommen wird, was in dem Vorhergehenden gesagt ist? Doch wohl dieses: sich immer mehr und mehr dem zu nähern, was man ein bewußtes Verhältnis zu den Kräften nennen kann, die in den ersten Kindheitsjahren unbewußt am Menschen wirken. – Nur muß in Betracht gezogen werden, daß der Mensch unter der Gewalt dieser Kräfte zusammenbrechen müßte, wenn sie *ohne weiteres* in sein bewußtes Leben hereinwirken würden. Deshalb ist für die Erlangung jener

Fähigkeiten, die ein Wahrnehmen der übersinnlichen Welten herbeiführen, eine sorgsame Vorbereitung notwendig. Diese Vorbereitung hat das Ziel, den Menschen geeignet zu machen zum Ertragen dessen, was er im gewöhnlichen Leben eben nicht ertragen kann.

*

Das Durchgehen durch die aufeinanderfolgenden Verkörperungen hat seine Bedeutung für die Gesamtentwickelung der menschlichen Wesenheit. Diese ist in der Vergangenheit durch aufeinanderfolgende Leben geschritten; sie schreitet weiter, und parallel damit schreitet auch die Erde in ihrer Entwickelung vorwärts. Es wird einmal der Zeitpunkt kommen, in welchem die Erde am Ende ihrer Laufbahn angelangt sein wird; dann muß der Erdplanet als physische Wesenheit abfallen von der Gesamtheit der Menschenseelen, wie der menschliche Leib mit dem Tode vom Geiste abfällt, wenn die Menschenseele, um weiter zu leben, eintritt in das geistige Reich, das ihr zwischen dem Tode und einer neuen Geburt angemessen ist. Dies ins Auge gefaßt, muß es als höchstes Ideal erscheinen, daß es der Mensch beim Erdentode so weit gebracht hat, daß er alle Früchte, die er aus dem Erdenleben gewinnen kann, sich auch angeeignet hat.

Nun kommen diejenigen Kräfte, durch welche der Mensch jenen andern nicht gewachsen ist, welche auf ihn in seiner Kindheit wirken, aus dem Erdenorganismus. Ist dieser selbst einmal von dem Menschenwesen abgefallen, so muß der Mensch, wenn er sein Ziel erreicht haben soll, so weit gekommen sein, daß er in der Tat sich mit seiner ganzen Wesenheit den Kräften hingeben kann, die gegenwärtig nur in der Kindheit tätig sind. Der Sinn der Entwickelung durch die aufeinanderfolgenden Erdenleben hindurch ist also, den ganzen Menschen, somit auch den bewußten Teil, allmählich zum Ausdruck der Kräfte zu machen, die in den ersten Lebensjahren unter Einwirkung der geistigen Welt an ihm – ihm unbewußt – walten. Der Gedanke, der aus solchen Betrachtungen heraus sich der Seele bemächtigt, muß mit Demut, aber auch mit richtigem Bewußtsein der Menschenwürde erfüllen. Es ist der Gedanke: Der Mensch ist nicht allein; in ihm lebt etwas, was ihm immerdar den Beweis liefern kann: Es kann der Mensch sich über sich selbst erheben, zu etwas, was gegenwärtig schon über ihn hinauswächst und was wachsen wird von Leben zu Leben. Immer bestimmtere und bestimmtere Gestalt kann dieser Gedanke annehmen; er liefert dann etwas ungeheuer Beruhigendes und Erhebendes; aber er durchdringt auch die Seele mit entsprechender Demut und Bescheidenheit. – Was hat in diesem Sinne der Mensch in sich? Wahrhaftig einen höheren, einen göttlichen Menschen, von dem er sich lebendig durchdrungen fühlen kann, sich sagend: *Er ist mein Führer in mir.*

Von solchen Gesichtspunkten aus kommt wohl leicht der Gedanke in die Seele, daß man mit allem, was man tun kann, den Einklang suchen soll mit demjenigen im Menschenwesen, das weiser ist als die bewußte Intelligenz. Und es wird von dem unmittelbar bewußten Selbst auf ein erweitertes Selbst hingewiesen, dem gegenüber alles, was falscher Stolz, und alles, was Überhebung im Menschenwesen ist, abgetilgt und bekämpft werden kann. Es bildet sich dieses Gefühl zu einem andern fort, das ein richtiges Verständnis eröffnet in bezug auf die Art, in welcher der Mensch gegenwärtig unvollkommen ist; und dies Gefühl läßt erkennen, wie er vollkommen werden kann, wenn einmal die in ihm waltende umfassendere Geistigkeit zu seinem Bewußtsein dasselbe Verhältnis haben darf, das sie in den ersten Kindheitsjahren zu dem unbewußten Seelenleben hat.

Wenn nun die Rückerinnerung im Leben sich oftmals so gestaltet, daß sie nicht bis in das vierte Kindheitsjahr zurückgeht, so darf man doch sagen, daß die Einwirkung des höheren Geistgebietes im obigen Sinne durch die ersten drei Lebensjahre geht. Am Ende dieser Zeitspanne wird der Mensch fähig, die Eindrücke der Außenwelt mit seiner Ich-Vorstellung zu verbinden. Es ist zwar richtig, daß diese zusammenhängende Ich-Vorstellung nur so weit zurückgezählt werden darf, als die Rückerinnerung reicht. Doch wird man sagen müssen, daß *im wesentlichen* die Rückerinnerung bis zum Beginne des vierten Lebensjahres reicht; nur ist sie erst für den Anfang des deutlichen Ich-Bewußtseins so schwach, daß sie unbemerkbar bleibt. Deshalb kann gelten, daß jene höheren den Menschen in den Kindheitsjahren bestimmenden Kräfte durch *drei Jahre* wirksam sein können. Es ist der Mensch in der gegenwärtigen mittleren Erdenorganisation somit so organisiert, daß er *nur* drei Jahre diese Kräfte aufnehmen kann.

Stünde nun ein Mensch vor uns, und könnte es durch irgendwelche Weltenmächte bewirkt werden, daß das gewöhnliche Ich von diesem Menschen entfernt würde – man müßte also annehmen: es könnte erreicht werden, dieses gewöhnliche Ich, das mit dem Menschen durch die Verkörperungen gegangen ist, aus physischem Leib, Ätherleib und Astralleib zu entfernen –, und man könnte dann in die drei Leiber ein solches Ich bringen, das im Zusammenhange wirkt mit den geistigen Welten, – was würde mit einem solchen Menschen geschehen müssen? Nach drei Jahren müßte sein Leib zerbrechen! Es müßte etwas geschehen durch das Weltenkarma, daß das Geisteswesen, das mit den höheren Welten zusammenhängt, nicht länger als drei Jahre in diesem Leibe leben könnte.* Erst am Ende aller Erdenleben wird der Mensch das in sich haben können, was ihn länger als drei Jahre mit jenem Geisteswesen leben läßt. Aber dann wird der Mensch sich auch sagen: Nicht ich, sondern dieses Höhere in mir, das immer da war, das arbeitet jetzt in mir. – Bis dahin kann er das noch nicht sagen, sondern höchstens dies: er fühle dieses Höhere, aber er ist noch nicht mit seinem wirklichen realen Menschheits-Ich dahin gekommen, es in sich zum vollen Leben zu bringen.

Würde nun irgend einmal in der mittleren Erdenzeit ein menschlicher Organismus in die Welt gestellt, der in einem späteren Lebensjahre durch gewisse Weltenmächte von seinem Ich befreit würde, und dafür jenes Ich in sich aufnähme, das sonst nur in den ersten drei Kindheitsjahren wirkt, und das im Zusammenhang stünde mit den geistigen Welten, in denen der Mensch zwischen dem Tode und einer neuen Geburt ist: wie lange könnte ein solcher Mensch im Erdenleibe leben? – Drei Jahre ungefähr; denn dann müßte durch das Weltenkarma etwas eintreten, was die betreffende Menschheitsorganisation zerstörte.

Was hier vorausgesetzt wurde, war aber in der Geschichte da. Der menschliche Organismus, welcher bei der Johannestaufe am Jordan stand, als das Ich des Jesus von Nazareth

---

* Beim Übergange vom Kindheits- zum späteren Menschenalter erhält sich die Lebensfähigkeit des menschlichen Organismus, weil er sich in dieser Zeit ändern kann. Im späteren Lebensalter kann er sich nicht mehr ändern; daher kann er auch mit jenem Selbst nicht weiter bestehen.

aus den drei Leibern fortging, barg nach der Taufe in voller bewußter Ausgestaltung jenes höhere Menschheitsselbst, das sonst, den Menschen unbewußt, mit Weltenweisheit am Kinde wirkt. Aber damit war die Notwendigkeit gegeben, daß dieses mit der höhern Geisteswelt zusammenhängende Selbst nur drei Jahre in dem entsprechenden Menschheitsorganismus leben konnte. Es mußten dann die Tatsachen so verlaufen, daß nach drei Jahren das irdische Leben des Wesens zu Ende war.

Die äußeren Ereignisse, welche im Leben des Christus Jesus eintraten, sind durchaus so aufzufassen, daß sie durch die auseinandergesetzten inneren Ursachen bedingt sind. Sie stellen sich als *äußerer Ausdruck* dieser Ursachen dar.

Damit ist der tiefere Zusammenhang gegeben zwischen dem, was der Führer ist im Menschen, was wie im Dämmerlichte in unsere Kindheit hereinscheint, was immer wirkt unter der Oberfläche unseres Bewußtseins als das, was unser Bestes ist, und zwischen dem, was einmal hereintrat in die ganze Menschheitsevolution, so daß es drei Jahre in einer menschlichen Hülle sein konnte.

Was zeigt sich an diesem «höheren» Ich, das zusammenhängt mit den geistigen Hierarchien, und das in den Menschenleib des Jesus von Nazareth in der Zeit eintrat, so daß sein Eintreten dargestellt wird symbolisch unter der Signatur des herabsteigenden Geistes in Gestalt der Taube mit den Worten: «Dies ist mein vielgeliebter Sohn, heute habe ich ihn gezeuget!» (denn so hießen die Worte ursprünglich)? Wenn man dieses Bild ins Auge faßt, so hat man das höchste menschliche Ideal vor sich hingestellt. Denn es bedeutet nichts anderes, als daß in der Geschichte des Jesus von Nazareth berichtet wird: In jedem Menschen ist erkennbar der Christus! Und wenn auch keine Evangelien und keine Überlieferung vorhanden wären, die besagen: Irgend einmal habe ein Christus gelebt, – so würde man durch Erkenntnis der Menschennatur erfahren, daß der Christus im Menschen lebt.

Die am Menschen im Kindheitsalter wirksamen Kräfte erkennen, heißt den Christus im Menschen erkennen. Es entsteht nun die Frage: Führt *diese* Erkenntnis auch zur Anerkennung der Tatsache, daß dieser Christus wirklich einmal in einem Menschenleibe auf Erden gewohnt hat? Ohne daß irgendwelche Dokumente herangezogen werden, kann diese Frage bejaht werden. Denn eine wirkliche seherische Selbsterkenntnis führt *für den gegenwärtigen Menschen* dahin, einzusehen, daß *in* der Menschenseele Kräfte gefunden werden können, welche von diesem Christus ausgehen. In den ersten drei Kindheitsjahren wirken diese Kräfte, ohne daß der Mensch etwas dazu tut. Im späteren Leben *können* sie wirken, wenn der Mensch durch innere Versenkung den Christus in sich sucht. So wie nun gegenwärtig der Mensch den Christus in sich findet, so konnte er dieses nicht immer. Es gab Zeiten, wo keine innere Versenkung den Menschen zum Christus führen konnte. Daß dies so ist, lehrt wieder die seherische Erkenntnis. In der Zwischenzeit zwischen jener Vergangenheit, da der Mensch den Christus in sich nicht finden konnte, und der Gegenwart, da er ihn finden kann, liegt das Erdenleben Christi. Und dieses Erdenleben selbst ist der Grund, warum in der angegebenen Art der Mensch den Christus in sich finden kann. So beweist sich für die seherische Erkenntnis das Erdenleben Christi ohne alle geschichtlichen Urkunden.

Man könnte denken, der Christus habe gesagt: Ich will

für euch Menschen ein solches Ideal sein, das in den Geist erhoben euch dasjenige darstellt, was sonst im Leiblichen erfüllt ist. In den ersten Lebensjahren lernt der Mensch physisch gehen aus dem Geiste heraus; das heißt der Mensch weist sich seinen *Weg* für das Erdenleben aus dem Geiste heraus. Er lernt sprechen, das heißt die *Wahrheit* prägen aus dem Geiste heraus, – oder mit anderen Worten: Der Mensch entwickelt das Wesen der Wahrheit aus dem Laute heraus in den ersten drei Jahren seines Lebens. Und auch das *Leben*, das der Mensch auf der Erde als Ich-Wesen lebt, das bekommt sein Lebensorgan durch das, was sich in den ersten drei Jahren der Kindheit ausbildet. So also lernt der Mensch leiblich gehen, das heißt «den Weg» finden, er lernt die «Wahrheit» durch seinen Organismus darstellen, und er lernt das «Leben» aus dem Geiste heraus im Leibe zum Ausdrucke bringen. Keine bedeutungsvollere Umprägung des Wortes: «Wenn ihr nicht werdet wie die Kindlein, könnt ihr nicht in die Reiche der Himmel kommen» scheint denkbar. Und als ein bedeutsames Wort muß es gelten, daß die Ich-Wesenheit des Christus so zum Ausdrucke kommt: *«Ich bin der Weg, die Wahrheit und das Leben!»* Wie die höheren Geisteskräfte den Kindheitsorganismus – diesem unbewußt – so gestalten, daß er leiblich wird der Ausdruck für den Weg, die Wahrheit und das Leben, so wird der Menschengeist allmählich dadurch, daß er sich mit dem Christus durchdringt, *bewußt* der Träger des Weges, der Wahrheit und des Lebens. Er macht sich dadurch selbst im Laufe des Erdenwerdens zu jener Kraft, die im Kindheitsalter in ihm waltet, ohne daß er der bewußte Träger ist.

Solche Worte, wie die von dem Weg, der Wahrheit und dem Leben, sind geeignet, die Türen der Ewigkeit zu öffnen.

Sie tönen dem Menschen aus seinen Seelengründen, wenn die Selbsterkenntnis eine wahre, wesenhafte wird.

In einem zweifachen Sinn eröffnen solche Betrachtungen den Ausblick auf die geistige Führung des Menschen und der Menschheit. Man findet als Mensch in sich den Christus durch Selbsterkenntnis als den Führer, zu dem man seit Christi Erdenzeit immer gelangen kann, weil er immer im Menschen ist. Und man findet dann ferner, wenn man dasjenige, was man ohne die geschichtlichen Dokumente erkannt hat, auf diese anwendet, die wahre Natur dieser Dokumente. Sie sprechen geschichtlich etwas aus, was im Innern der Seele sich durch sich selbst offenbart. Sie sind deshalb zu jener *Führung* der Menschheit zu zählen, welche die Hinlenkung der Seele auf sich selbst bewirken soll.

Wird so die Ewigkeitsstimmung der Worte verstanden: «Ich bin der Weg, die Wahrheit und das Leben!», dann kann man fühlen, daß es unberechtigt ist, zu fragen: Warum tritt der Mensch, wenn er schon viele Verkörperungen durchgemacht hat, immer wieder als Kind in das Dasein? Denn es zeigt sich, daß diese scheinbare Unvollkommenheit eine immerwährende Erinnerung an das Höchste ist, was im Menschen lebt. Und man kann nicht oft genug – wenigstens jedesmal am Eingange eines Lebens – an die große Tatsache erinnert werden, was der Mensch eigentlich jener Wesenheit nach ist, welche allem Erdensein zugrunde liegt, aber von den Unvollkommenheiten dieses Seins nicht berührt wird.

Es ist nicht gut, wenn man in der Geisteswissenschaft oder Theosophie oder überhaupt im Okkultismus viel definiert, viel in Begriffen redet. Besser ist es, wenn man charakterisiert und eine Empfindung hervorzurufen versucht von dem, was wirklich ist. Deshalb sollte auch hier versucht werden, eine Empfindung anzuregen von dem, was die ersten drei Jahre des Menschenlebens kennzeichnet, und wie sich dies verhält zu jenem Lichte, das ausstrahlt von dem Kreuze auf Golgatha. Diese Empfindung besagt, daß ein Impuls durch die menschliche Evolution geht, von dem man mit Recht sagen kann, daß das Paulinische Wort durch ihn Wahrheit werden muß: «Nicht ich, sondern der Christus in mir!» Man braucht nur zu wissen, was der Mensch in Wirklichkeit ist, und man kann von solcher Erkenntnis aus zu der Einsicht in die Wesenheit Christi vorschreiten. Wenn man aber durch die wahre Menschheitsbetrachtung zu dieser Christus-Idee gekommen ist und weiß, daß man den Christus am besten entdeckt, wenn man ihn erst in sich selber sucht, und wenn man dann zurückgeht zu den biblischen Urkunden, dann gewinnt erst die Bibel ihren großen Wert. Und es gibt keinen größeren, aber auch keinen bewußteren Schätzer der Bibel als einen Menschen, der im angedeuteten Sinne den Christus gefunden hat. Es wäre denkbar, daß ein Wesen, man sage ein Marsbewohner, herunterkäme auf die Erde, das nie etwas gehört hat von dem Christus und seinem Wirken. Vieles, was sich hier auf der Erde abgespielt hat, würde ein solcher Marsbewohner nicht verstehen; vieles, was die Menschen heute interessiert, würde ihn nicht interessieren. Aber das würde ihn interessieren, was der Mittelpunktsimpuls der Erdenevolution ist: die Christus-Idee, wie sie die Wesenheit des Menschen selber ausdrückt! – Wer das begriffen hat, der erkennt dann erst recht die Bibel; denn er findet, was er vorher in sich erschaut hat, in ihr in einer wunderbaren Weise ausgedrückt und sagt sich dann: Ich brauche gar nicht erzogen zu sein zu einer besonderen

Schätzung der Evangelien, sondern trete als ein vollbewußter Mensch vor dieselben, und durch das, was ich durch die Geisteswissenschaft erkannt habe, erscheinen sie mir in ihrer ganzen Größe.

Es ist wohl nicht zu viel gesagt, wenn man behauptet, es werde eine Zeit kommen, wo man der Ansicht sein wird: Die Menschen, welche durch die Geisteswissenschaft erkannt haben, den Inhalt der Evangelien in richtiger Weise zu schätzen, die werden in denselben führende Schriften der Menschheit anerkennen in einem Sinne, der diesen Schriften mehr gerecht wird, als man ihnen bis zur Gegenwart geworden ist. Die Menschheit wird erst lernen, durch die Erkenntnis des Wesens des Menschen selber das einzusehen, was in diesen tiefen Urkunden ruht. Man wird sich dann sagen: Wenn man dasjenige in den Evangelien findet, was so zum Wesen des Menschen gehört, so muß dies durch die Menschen in die Dokumente hineingekommen sein, die sie auf der Erde geschrieben haben, so daß für die Verfasser dieser Urkunden besonders gelten muß, was man bei einem wahrhaftigen Nachdenken – je älter man wird, desto mehr – sich vom eigenen Leben sagen muß. Man hat so manches gemacht, was man erst viele Jahre hinterher versteht. In den Schreibern der Evangelien können Menschen gesehen werden, welche aus dem höheren Selbst heraus schrieben, das am Menschen in den Kindheitsjahren arbeitet. So sind die Evangelien Schriftwerke, welche aus der Weisheit stammen, die den Menschen gestaltet. Der Mensch ist Offenbarung des Geistes durch seinen Leib; die Evangelien sind solche Offenbarung durch die Schrift.

Unter solchen Voraussetzungen bekommt der Inspirationsbegriff wieder seine gute Bedeutung. Wie in das Gehirn in den ersten drei Jahren der Kindheit höhere Kräfte hineinarbeiten, so wurden hineingeprägt in die Seelen der Evangelienschreiber aus den geistigen Welten Kräfte, aus welchen heraus die Evangelien geschrieben wurden. – In einer solchen Tatsache spricht sich die geistige Führung der Menschheit aus. Eine Menschheit muß wahrhaftig *geführt* werden, wenn innerhalb ihrer Personen wirken, welche Urkunden aus denselben Kräften heraus schreiben, aus welchen der Mensch selbst weisheitsvoll gestaltet wird. – Und wie der einzelne Mensch Dinge sagt oder tut, die er erst in einem späteren Lebensalter versteht, so hat die Gesamtmenschheit in den Evangelienschreibern sich die Mittler hervorgebracht, die in ihren Schriften Offenbarungen lieferten, die erst nach und nach begriffen werden können. Es wird, je weiter die Menschheit vorrückt, immer mehr und mehr das Verständnis dieser Urkunden gefunden werden. Der Mensch kann in sich die geistige Führung fühlen; die Gesamtmenschheit kann sie in denjenigen Personen fühlen, welche in der Art der Evangelienschreiber wirken.

Der so gewonnene Begriff der Menschenführerschaft kann nun in mancher Hinsicht erweitert werden. Man nehme an, ein Mensch habe Schüler gefunden, einige Leute, die sich zu ihm bekennen. Ein solcher wird durch echte Selbsterkenntnis leicht gewahr werden, daß ihm gerade die Tatsache, daß er Bekenner gefunden hat, das Gefühl gibt: was er zu sagen habe, rühre nicht von ihm her. Es sei vielmehr so, daß sich geistige Kräfte aus höheren Welten den Bekennern mitteilen wollen, und diese finden in dem Lehrer das geeignete Werkzeug, um sich zu offenbaren.

Einem solchen Menschen wird der Gedanke nahetreten: Als ich Kind war, habe ich an mir durch Kräfte gearbeitet, die aus der geistigen Welt hereinwirkten, und das, was ich jetzt als mein Bestes geben kann, muß auch aus höheren Welten hereinwirken; ich darf es *nicht* als meinem gewöhnlichen Bewußtsein angehörig betrachten. Ja, ein solcher Mensch darf sagen: etwas Dämonisches, etwas wie ein Dämon – aber das Wort «Dämon» im Sinne einer *guten* geistigen Macht genommen – wirkt aus einer geistigen Welt durch mich auf die Bekenner. – So etwas empfand *Sokrates,* von dem Plato erzählt, daß er von seinem *«Dämon»* sprach als von dem, was ihn lenkte und leitete. Viel hat man versucht, um diesen «Dämon» des Sokrates zu erklären. Aber man kann ihn nur erklären, wenn man sich dem Gedanken hingeben will, daß Sokrates so etwas empfinden konnte, wie aus obiger Betrachtung sich ergibt. Dann kann man auch begreifen, daß durch die drei bis vier Jahrhunderte, da das sokratische Prinzip in Griechenland gewirkt hat, eine Stimmung durch Sokrates in die griechische Welt kam, die vorbereitend wirken konnte für ein anderes großes Ereignis. Die Stimmung, daß der Mensch nicht so, wie er dasteht, dasjenige *ganz* ist, was aus höheren Welten hereinragt, diese Stimmung wirkte weiter. Die Besten, bei denen diese Stimmung vorhanden war, sind die gewesen, welche später auch am besten das Wort verstanden: «Nicht ich, sondern der Christus in mir!» Denn sie konnten sich sagen: Sokrates hat noch wie von einem dämonisch aus höheren Welten Wirkenden gesprochen; durch das Christus-Ideal wird klar, wovon Sokrates gesprochen hat. Nur konnte Sokrates noch nicht von Christus sprechen, weil zu seiner Zeit noch niemand die Christus-Wesenheit *in sich* finden konnte.

Da fühlen wir wieder etwas von *geistiger* Führung der Menschheit: Nichts kann in die Welt hineingestellt werden ohne Vorbereitung. Warum hat Paulus gerade die besten Anhänger in Griechenland gefunden? Weil dort durch den Sokratismus der Boden vorbereitet war durch die gekennzeichnete Stimmung. Das heißt: Was später in der Menschheitsentwickelung geschieht, führt zurück zu Ereignissen, die früher gewirkt haben, und welche die Menschen reif gemacht haben, um das Spätere auf sich wirken zu lassen. Fühlen wir da nicht, wie *weit* der führende Impuls reicht, der durch die menschliche Evolution geht, und wie er im rechten Moment die richtigen Menschen dort hinstellt, wo sie für die Evolution gebraucht werden? In solchen Tatsachen spricht sich zunächst im allgemeinen die Führung der Menschheit aus.

II

Man kann eine merkwürdige Parallele finden zwischen dem, was sich im einzelnen Menschenleben offenbart, und dem, was in der ganzen Menschheitsentwickelung waltet, wenn man ins Auge faßt, was den alten Griechen gesagt worden ist von den Lehrern und Führern des alten Ägyptens über die Lenkung und Leitung des ägyptischen Geisteslebens. Da wird erzählt, daß ein Ägypter, als er gefragt wurde, von wem er gelenkt und geleitet worden sei seit alten Zeiten her, den Griechen geantwortet habe: In alten, grauen Zeiten herrschten bei uns und lehrten die *Götter,* und dann kamen als Führer erst Menschen. – *Menes* nannten die Ägypter den Griechen gegenüber den ersten Führer auf dem physischen Plan, der als ein menschenähnlicher Führer anerkannt war. Das heißt: Die Leiter des ägyptischen Volkes beriefen sich darauf, daß früher die Götter selber – wie die griechischen Mitteilungen sagen – das Volk gelenkt und geleitet haben. Bei einer solchen Aussage, die uns aus alten Zeiten herübertönt, müssen wir nur immer das Richtige verstehen. Was meinten die Ägypter, die sagten: Götter waren bei uns die Könige, Götter waren bei uns die großen Lehrer? – Da hat der, welcher das zu dem fragenden Griechen gesagt hat, gemeint: Wenn man in die alten Zeiten des ägyptischen Volkes zurückgehen würde und diejenigen Menschen, welche in sich etwas empfanden wie ein höheres Bewußtsein, wie eine Weisheit von höheren Welten, fragen würde: Wer sind eigentlich eure Lehrer?, so würden sie antworten: Wenn ich von meinem eigentlichen Lehrer sprechen wollte, müßte ich nicht auf diesen oder jenen Menschen zeigen und sagen: dieser oder jener ist mein Lehrer; sondern wenn ich meinen

Lehrer bezeichnen will, so muß ich mich erst in einen hell-sehenden Zustand versetzen – es ist aus der Geistes-wissenschaft bekannt, daß dies in älteren Zeiten verhältnis-mäßig leichter war als in der Gegenwart –, und dann finde ich meinen wahren Inspirator, meinen wahren Lehrer; der naht mir nur, wenn mein geistiges Auge geöffnet ist. – Denn im alten Ägypten stiegen aus den geistigen Welten solche Wesenheiten zu den Menschen herunter, die sich nicht im menschlichen physischen Leib verkörperten. Es herrschten und lehrten durch die physischen Menschen in grauen Zeiten Ägyptens eben noch die Götter; und unter «Göttern» ver-standen die alten Ägypter die Wesen, die dem Menschen in seiner Entwickelung vorangegangen sind.

Im Sinne der Geisteswissenschaft hat die Erde, bevor sie «Erde» geworden ist, einen anderen planetarischen Zustand durchgemacht, den man den «Mondzustand» nennt. Wäh-rend dieses Zustandes war der Mensch noch nicht Mensch im heutigen Sinne; doch gab es andere Wesen auf dem alten Mond, die nicht die heutige Menschengestalt hatten, die anders geartet waren, die aber damals auf jener Stufe der Entwickelung standen, welche der Mensch jetzt auf der Erde erreicht hat. Man kann deshalb sagen: Auf dem alten Pla-neten Mond, der zugrunde gegangen ist, und aus dem spä-ter die Erde wurde, lebten Wesenheiten, welche die Vor-gänger der Menschen waren. In der christlichen Esoterik bezeichnet man solche Wesenheiten als *Engel*-Wesenheiten, (Angeloi) –, die über ihnen stehenden dann als *Erzengel* (Archangeloi). Diese letzteren waren in einer noch früheren Zeit Menschen als die Engel. Was man in der christlichen Esoterik Engel oder Angeloi, in der orientalischen Mystik «dhyanische Wesenheiten» nennt, das waren «Menschen» während des Mondenzeitalters. Diese Wesen stehen nun während des Erdenzeitalters – insoferne sie auf dem Monde sich bis zu Ende entwickelt haben – um eine volle Stufe höher als die Menschen. Der Mensch wird erst am Ende der Erdenentwickelung dort angekommen sein, wo diese Wesenheiten am Ende der Mondentwickelung waren. – Als der Erdenzustand unseres Planeten begann und der Mensch auf der Erde auftrat, konnten diese Wesenheiten nicht in einer äußeren Menschengestalt erscheinen. Denn der menschliche fleischliche Leib ist im wesentlichen ein Erdenprodukt; er ist angemessen nur den Wesenheiten, welche jetzt Menschen sind. Jene Wesenheiten, die um eine Stufe höher stehen als die Menschen, konnten sich, als die Erde im Beginn ihrer Entwickelung war, nicht in Menschenleibern verkörpern; sie konnten sich an der Erdenregierung nur so beteiligen, daß sie in dem Zustande, den die Menschen der Erdenvorzeit hellsehend erreichten, diese erleuchteten, inspirierten, und auf dem Umwege durch diese hellsehenden Menschen in die Lenkung der Erdengeschicke eingriffen.

Die alten Ägypter erinnerten sich also noch an einen solchen Zustand, wo die führenden Persönlichkeiten sich lebendig bewußt waren ihres Zusammenhanges mit dem, was man Götter, Engel oder dhyanische Wesenheiten nennt. Was waren das nun für Wesenheiten, die sich da nicht selber als Menschen verkörperten, nicht menschliche fleischliche Gestalt annahmen, sondern auf die geschilderte Art in die Menschheit hereinwirkten? Sie waren die Vorgänger der Menschen, die hinausgewachsen waren über die Stufe der Menschheit.

Es ist in dieser Zeit mit einem Worte viel Mißbrauch getrieben worden, das im rechten Sinne hier angewendet werden kann, mit dem Worte «Übermensch». Wenn man wahr-haft von «Übermenschen» sprechen wollte, so könnte man so diese Wesenheiten nennen, die schon während der Mon-denzeit, der planetarischen Vorstufe unserer Erde, Men-schen waren und jetzt über die Menschen hinausgewachsen sind. Sie konnten nur in einem ätherischen Leibe den hell-sehenden Menschen erscheinen. So erschienen sie auch, stie-gen also aus den geistigen Welten auf die Erde herunter und regierten selbst noch in den nachatlantischen Zeiten auf der Erde.

Diese Wesenheiten hatten die merkwürdige Eigenschaft – und haben sie auch heute noch –, daß sie nicht zu denken brauchen; man könnte auch sagen, daß sie gar nicht denken können, wie der Mensch denkt. *Wie* denkt denn der Mensch? Mehr oder weniger so, daß er von einem gewissen Punkte ausgeht und sich sagt: ich habe das oder jenes begriffen; und von diesem Punkte aus versucht er nun verschiedenes andere zu verstehen. Wenn das nicht der Weg des menschlichen Denkens wäre, so wäre der Schulweg für manches nicht so schwierig. Man kann nicht von einem Tage auf den andern Mathematik lernen, weil man an einem Punkte anfangen und langsam vorschreiten muß. Das dauert lange. Man kann nicht mit einem Blick eine ganze Gedankenwelt über-schauen; denn das menschliche Denken verläuft *in der Zeit*. Es ist ein Gedankenbau nicht mit einem Schlage in der Seele gegenwärtig. Man muß suchen, muß sich anstrengen, um den Fortgang der Gedanken zu finden. Diese Eigentümlich-keit des Menschen haben die gekennzeichneten Wesenheiten nicht; sondern es tritt ein weiter Gedankenbau in ihnen mit derselben Geschwindigkeit auf, mit der etwa ein Tier sich klar ist, wenn es etwas für seinen Instinkt Eßbares vor sich

hat, daß es darnach schnappen will. Instinkt und nach-
denkerisches Bewußtsein zeigen in bezug auf diese Wesenheiten keinen Unterschied, sie sind ein und dasselbe. So wie
die Tiere Instinkt haben auf ihren Stufen, in ihrem Reiche,
so haben diese dhyanischen Wesenheiten oder Angeloi unmittelbares geistiges Denken, unmittelbares geistiges Vor-
stellen. Durch dieses instinktive Vorstellungs-Innenleben
sind sie wesentlich anders geartet als die Menschen.

Man kann sich nun leicht einen Begriff davon bilden, wie
es unmöglich ist, daß diese Wesenheiten ein solches Gehirn
oder einen solchen physischen Leib benutzen, wie sie die
Menschen haben. Sie müssen einen ätherischen Leib benutzen, weil ein menschlicher Leib und ein menschliches Gehirn
die Gedanken nur in der Zeit vermitteln, während diese
Wesenheiten nicht die Gedanken in der Zeit ausbilden, sondern gleichsam wie von selbst die ihnen zukommende Weisheit in sich aufblitzen fühlen. Sie können unmöglich in dem
Sinne Falsches denken, wie der Mensch. Ihr Gedanken-
ablauf ist eine unmittelbare Inspiration. Daher hatten diejenigen Persönlichkeiten, welche an diese übermenschlichen
oder Engel-Wesenheiten herankommen konnten, das Bewußtsein: da stehen sie der sicheren Weisheit gegenüber.
Wenn also selbst noch im alten Ägypten der Mensch, der als
Mensch Lehrer oder König war, diesem seinem geistigen
Führer gegenüberstand, so wußte er: Das Gebot, das er gibt,
die Wahrheit, die er sagt, sind *unmittelbar* richtig, können
nicht falsch sein. Das empfanden dann wieder diejenigen,
auf welche diese Wahrheiten übertragen wurden.

Die hellseherischen Menschheitsführer konnten so sprechen, daß man aus ihren Worten selbst das zu empfangen
glaubte, was aus der geistigen Welt herunterkam. Kurz, es

war ein unmittelbarer Strom hinauf nach den höheren leitenden Geistes-Hierarchien.

Was an der Kindheit des Menschen wirkt, das kann man im großen in der Welt der Menschheit arbeiten sehen als die über der ganzen Menschheits-Evolution schwebende nächste Welt der Geistes-Hierarchien, als das nächste Reich der Angeloi oder übermenschlichen Wesenheiten, die um eine Stufe höher stehen als die Menschen und unmittelbar in die geistigen Sphären hinaufragen. Sie tragen aus diesen Sphären das auf die Erde herunter, was in die menschliche Kultur hineinarbeitet. Beim Kinde ist es die Leibesgestaltung, in welcher sich die höhere Weisheit ihren Abdruck schafft; in der Menschheitsentwickelung der Vorzeit kam die Kultur in ähnlicher Art zur Ausgestaltung.

So empfanden die Ägypter, welche schilderten, daß sie mit einem Göttlichen im Zusammenhang standen, das Geöffnetsein der Seele der Menschheit gegenüber den Geistes-Hierarchien. Wie die Kindesseele bis zu dem Zeitpunkt, der in den vorhergehenden Ausführungen angedeutet ist, ihre Aura den Hierarchien öffnet, so öffnete die ganze Menschheit ihre Welt durch ihre Arbeit den Hierarchien, mit denen sie im Zusammenhang stand.

Am bedeutsamsten war dieser Zusammenhang bei denjenigen Lehrern, die wir als die heiligen Lehrer der Inder bezeichnen, den großen Lehrern der ersten nachatlantischen Kultur, jener ersten indischen Kultur, die sich ausgebreitet hat im Süden Asiens. Als die atlantische Katastrophe vorübergegangen war und die Physiognomie der Erde sich verändert hatte, so daß die neue Gestaltung Asiens, Europas und Afrikas auf der östlichen Halbkugel sich entwickelt hatte, da wirkte – und zwar noch vor der Zeit, auf die hier

als in den alten Berichten erwähnte hingedeutet wurde –
die Kultur der alten großen Lehrer Indiens. Der heutige
Mensch wird sich im allgemeinen eine recht falsche Vorstellung von diesen großen Lehrern Indiens machen. Denn
wenn zum Beispiel einem heutigen Gebildeten einer der
großen Lehrer Indiens gegenübertreten würde, so würde der
Gebildete der Gegenwart sonderbare Augen machen und
vielleicht sagen: Das soll ein ‹Weiser› sein? So habe ich mir
nie einen Weisen vorgestellt! – Denn im Sinne dessen, was
bei dem heutigen Gebildeten klug oder gescheit ist, haben
die alten heiligen Lehrer Indiens nichts Gescheites zu sagen
gewußt. Sie waren im heutigen Sinne einfältige, schlichteste
Menschen, die in der allereinfachsten Weise geantwortet
hätten, selbst auf Fragen des alltäglichen Lebens. Und es
gab für sie viele Zeiten, in denen man aus ihnen kaum
anderes herausbringen konnte, als dieses oder jenes Wort,
das einem heutigen Gebildeten recht unbedeutend scheinen
würde. Aber es gab auch wieder für diese heiligen Lehrer
bestimmte Zeiten, in denen sie sich als etwas anderes denn
als bloße schlichte Menschen darstellten. In diesen Zeiten
mußten sie dann in der Siebenzahl beieinander sein, weil
das, was jeder einzelne von ihnen empfinden konnte, har-
monisch wie in einem Zusammenklang von sieben Tönen
mit den anderen sechs Weisen zusammenwirken mußte, so
daß also jeder nach seinem besonderen Instrument und seiner besonderen Entwickelung die Möglichkeit hatte, dies
oder jenes zu schauen. Und aus dem Zusammenklang dessen, was jeder einzelne erschaute, entstand das, was als die
Urweisheit aus alten Zeiten heraufklingt, wenn man die
wirklichen okkulten Urkunden zu entziffern versteht. Jene
Urkunden sind nicht die Offenbarungen der Veden – so

sehr wir auch diese Veden bewundern können –, sondern was die heiligen Lehrer Indiens gelehrt haben, das liegt noch viel früher, als die Abfassung der Veden, und nur ein schwacher Nachklang davon ist das, was man in diesen gewaltigen Werken vor sich hat. Aber wenn diese Männer gegenüberstanden, ein jeder einem übermenschlichen Vorfahren der Menschheit, wenn sie hinschauten hellsehend in die höhern Welten, hinhörten hellhörend auf das, was sie durch diesen Vorgänger der Menschheit vernahmen, so leuchtete es wie die Sonne aus ihren Augen. Und dann wirkte das, was sie sagen konnten, überwältigend auf ihre Umgebung, so daß alle Hörenden wußten: Jetzt spricht nicht das, was menschliches Leben oder menschliche Weisheit ist, sondern jetzt wirken herein in die Menschenkultur *Götter*, übermenschliche Wesenheiten.

Von diesem Hereinklingen dessen, was die Götter wußten, nahmen die alten Kulturen ihren Ausgang. Erst nach und nach in der nachatlantischen Zeit schloß sich sozusagen das Tor gegenüber der göttlich-geistigen Welt, die ja während der atlantischen Zeit noch völlig offen war für die menschliche Seele. Und man empfand in den verschiedenen Ländern, bei den verschiedenen Völkern, wie der Mensch immer mehr und mehr auf sich selber angewiesen wurde. So zeigt sich in anderm Sinne an der Menschheit, was sich am Kinde offenbart. Erst ragt die göttlich-geistige Welt herein durch die unbewußte Seele des Kindes, die leibgestaltend schafft; dann kommt der Augenblick, in welchem der Mensch sich als «Ich» fühlen lernt, bis zu dem er sich dann im späteren Leben zurückerinnert. Vorher aber liegt eine Zeit, an die man sich normalerweise im alltäglichen Leben nicht zurückerinnert. Da liegt das, von dem gesagt werden kann, daß der Weiseste noch lernen kann von der Seele des Kindes. Dann aber wird der einzelne sich selbst überlassen, das Ich-Bewußtsein tritt auf, und alles fügt sich jetzt so zusammen, daß man sich an das Erlebte zurückerinnern kann. – So kam auch im Leben der Völker die Zeit, wo sie anfingen, sich mehr abgeschlossen zu fühlen von der göttlichen Inspiration der Urväter. Wie das Kind abgeschlossen wird von der Aura, die das Kindeshaupt in den ersten Jahren umschwebt, so traten auch im Leben der Völker immer mehr und mehr die göttlichen Urväter zurück, und die Menschen wurden angewiesen auf ihr eigenes Forschen und ihr eigenes Wissen. Wo die Geschichte so spricht, da wird das Hereindringen der Führung der Menschheit empfunden. «*Menes*» nannten die Ägypter den, der die erste «menschliche» Kultur inauguriert hat; und sie deuten zu gleicher Zeit an, daß der Mensch dadurch auch in die Möglichkeit kam, zu *irren*. Denn von da ab war er angewiesen auf das Werkzeug seines Gehirns. Daß der Mensch in Irrtum verfallen konnte, wird dadurch symbolisch angedeutet, daß in die Zeit, in welcher die Menschen von den Göttern verlassen wurden, die Stiftung des *Labyrinthes* versetzt wird, das ein Abbild ist der Windungen des Gehirns als des Werkzeuges für die eigenen Menschengedanken, in welchen sich der Träger dieser Gedanken verlieren kann. *Manas* nannten die Orientalen den Menschen als denkendes Wesen, und Manu heißt der erste Hauptträger des Denkens. *Minos* nannten die griechischen Völker den ersten Ausgestalter des menschlichen Gedankenprinzips, und auch an Minos knüpft sich die Sage vom Labyrinth, weil die Menschen fühlten, wie sie seit seiner Zeit von der unmittelbaren göttlichen Leitung allmählich in eine solche

Leitung übergingen, durch welche das «Ich» in anderer Art die Einflüsse der höheren Geisteswelt erlebt.

Außer jenen Urvätern der Menschen, den wahren Übermenschen, die auf dem Monde ihre Menschheit absolviert hatten und nun Engel geworden waren, gibt es noch andere Wesenheiten, die auf dem Monde ihre Entwickelung nicht vollendet haben. Die Wesenheiten, die man in der orientalischen Mystik dhyanische Wesenheiten, in der christlichen Esoterik Angeloi nennt, haben ihre Entwickelung auf dem alten Monde vollendet und sind, als der Mensch auf der Erde sein Werden begann, schon um eine Stufe höher gewesen als die Menschen. Aber andere Wesenheiten gab es, die ihre menschliche Entwickelung auf dem alten Monde nicht abgeschlossen hatten, gerade wie die höheren Kategorien der luziferischen Wesenheiten nicht ihre Entwickelung abgeschlossen hatten. Als der Erdenzustand unseres Planeten begann, war in dem gekennzeichneten Sinne nicht nur der Mensch vorhanden; sondern er empfing auch die Inspiration der göttlich-geistigen Wesenheiten, denn sonst hätte er – ähnlich wie das Kind – nicht vorwärts kommen können; und dadurch waren außer diesen kindlichen Menschen auch die Wesenheiten mittelbar für die Erde vorhanden, die auf dem Monde ihre Entwickelung abgeschlossen hatten. Zwischen diesen aber und den Menschen waren noch solche Wesenheiten, die ihre Entwickelung auf dem Monde nicht abgeschlossen hatten, Wesenheiten, die höherer Art waren als die Menschen, weil sie schon während der alten Mondenzeit Engel, dhyanische Wesenheiten hätten werden können. Aber sie sind damals nicht bis zur vollen Reife gekommen, sind zurückgeblieben unter den Engeln, ragten aber doch in bezug auf alles, was der Mensch sein Eigen nannte, weit über den Menschen hinaus. Das sind im Grunde genommen diejenigen Wesenheiten, die in den Scharen der luziferischen Geister die unterste Stufe einnehmen. Mit diesen Wesenheiten, die zwischen den Menschen und den Engeln mitten drinnen stehen, beginnt eben schon das Reich der luziferischen Wesenheiten.

Von diesen Wesenheiten kann man außerordentlich leicht irrtümlich denken. Man könnte fragen: Warum haben die göttlichen Geister, die Regenten des Guten, zugelassen, daß solche Wesenheiten zurückgeblieben sind und dadurch das luziferische Prinzip in die Menschheit hereinkommen lassen? – Man könnte auch einwenden, daß die guten Götter alles zum Guten lenken. Diese Frage liegt nahe. Und das andere Mißverständnis, das entstehen könnte, drückt sich in der Meinung aus: Diese Wesenheiten seien eben «böse» Wesenheiten. Beides ist nur ein Mißverständnis. Denn diese Wesenheiten sind durchaus nicht bloß «böse» Wesenheiten, obwohl der Ursprung des Bösen in der Menschenentwickelung bei ihnen gesucht werden muß, sondern sie stehen mitten zwischen den Menschen und den Übermenschen. Sie ragen in gewisser Art an Vollkommenheit über die Menschen hinaus. In allen Fähigkeiten, die sich die Menschen erst erwerben müssen, haben diese Wesenheiten schon eine hohe Stufe erlangt, und sie unterscheiden sich von den früher geschilderten Vorfahren der Menschen dadurch, daß sie – weil sie ihre Menschheit auf dem Monde nicht abgeschlossen haben – noch fähig sind, während sich der Mensch auf der Erde entwickelt, sich in Menschenleibern zu inkarnieren. Während die eigentlichen dhyanischen oder Engelwesenheiten, welche die großen Inspiratoren der Menschen sind, und auf die sich die Ägypter noch beriefen, nicht in Menschenleibern erscheinen, sondern sich nur offenbaren konnten *durch* die Menschen, sind die Wesenheiten, die zwischen Menschen und Engeln mitten drinnen stehen, noch in der Vorzeit fähig, sich in menschlichen Leibern zu verkörpern. Daher findet man in der lemurischen und atlantischen Zeit unter den Menschen auf der Erde solche, die in sich tragen als innerste Seelennatur eine zurückgebliebene Engelwesenheit, das heißt: es gehen in der alten lemurischen und atlantischen Zeit unserer Erde nicht nur gewöhnliche Menschen auf der Erde herum, die durch ihre aufeinanderfolgenden Inkarnationen zu dem kommen sollen, was dem Menschheitsideal entspricht, sondern es gehen unter den Menschen früherer Zeiten solche Wesen herum, die äußerlich wie die anderen Menschen aussehen. Sie müssen den menschlichen Leib tragen, denn die äußere Gestalt eines Menschen im Fleisch ist abhängig von den irdischen Verhältnissen. Aber namentlich in den älteren Zeiten befanden sich unter den Menschen solche Wesen, die zu der untersten Kategorie der luziferischen Individualitäten gehörten. Neben den Engelwesenheiten, die auf die menschliche Kultur durch die Menschen wirkten, inkarnierten sich auch solche luziferische Wesenheiten und begründeten an verschiedenen Orten Menschheitskulturen. Und wenn in den Legenden alter Völker geschildert wird, daß da oder dort der eine oder der andere große Mensch lebte, der eine Kultur begründete, so ist eine solche Individualität nicht damit zu kennzeichnen, daß man sagt: Da ist eine luziferische Wesenheit verkörpert, die muß Träger eines Bösen sein; – sondern in der Tat kommt unendlich viel Segensreiches in die menschliche Kultur durch diese Wesenheiten.

Aus der Geisteswissenschaft ist bekannt, daß in den alten

Zeiten, namentlich in der atlantischen Zeit, so etwas wie eine Art menschlicher *Ursprache* vorhanden war, eine Art von Sprechen, welche über die ganze Erde hin ähnlich war, weil «Sprechen» in jenen Zeiten viel mehr aus dem Innersten der Seele kam als heute. Das kann schon aus folgendem entnommen werden. In den atlantischen Zeiten empfanden die Menschen alle äußeren Eindrücke so, daß die Seele, wenn sie etwas Äußeres ausdrücken wollte mit einem Laut, gedrängt wurde zu einem *Konsonanten*. Was also im Raume vorhanden war, drängte dazu, konsonantisch nachgeahmt zu werden. Das Wehen des Windes, das Rauschen der Wellen, das Geschütztsein durch ein Haus empfand man und ahmte es nach durch Konsonanten. Was man dagegen innerlich erlebte an Schmerz oder Freude, oder auch, was ein anderes Wesen empfinden konnte, das ahmte man nach im *Vokal*. Daraus kann man sehen, daß die Seele im Sprechen zusammenwuchs mit den äußeren Vorgängen oder Wesenheiten. Aus der Akasha-Chronik ergibt sich das folgende.

Einer Hütte, die sich nach der alten Art über eine Familie wölbte und dieser Schutz und Schirm gab, näherte sich zum Beispiel ein Mensch, beobachtete die Hütte in der Art, wie sie sich wölbte als Form räumlich über der Familie. Das schützende Sichwölben der Hütte drückte er durch einen Konsonanten aus, und daß darinnen Seelen in Leibern sich wohl befinden – was er mitfühlen konnte –, drückte er durch einen Vokal aus. Da entstand der Gedanke: «Schutz», «Schutz habe ich», «Schutz über menschlichen Leibern». Dieser Gedanke ergoß sich dann in Konsonanten und Vokale, die nicht anders sein konnten, als sie waren, weil sie eindeutig ein unmittelbarer Abdruck des Erlebnisses waren.

Das war über die ganze Erde hin so. Es ist kein Traum,

daß es eine menschliche «Ursprache» gegeben hat. Und in einem gewissen Sinne verstehen die Eingeweihten aller Völker noch nachzuempfinden diese Ursprache. Ja, in allen Sprachen sind gewisse Lautanklänge, die nichts anderes sind als Reste dieser menschlichen Ursprache.

Diese Sprache ist angeregt in der menschlichen Seele durch die Inspiration der übermenschlichen Wesenheiten, der wahren Vorgänger der Menschen, die ihre Entwickelung auf dem Monde vollendet hatten. Man kann nun daraus sehen: Wenn es bloß diese Entwickelung gegeben hätte, so würde das ganze Menschengeschlecht im Grunde genommen eine große Einheit geblieben sein; über die ganze Erde hin würde man einheitlich gesprochen und gedacht haben. Die Individualität, die Mannigfaltigkeit hätte sich nicht ausbilden können – und damit auch nicht die menschliche Freiheit. Daß der Mensch eine Individualität werden konnte, dazu mußten Spaltungen in der Menschheit eintreten. Daß in den verschiedensten Gegenden der Erde die Sprachen verschieden wurden, das rührt von der Arbeit solcher Lehrer her, in denen eine luziferische Wesenheit inkarniert war. Je nachdem diese oder jene – zurückgebliebene – Engelwesenheit bei diesem oder jenem Volke inkarniert war, konnte sie in dieser oder jener Sprache die Menschen unterweisen. Also die Fähigkeit, eine besondere Sprache zu sprechen, führt bei allen Völkern zurück auf das Vorhandensein solcher großen Erleuchter, die zurückgebliebene Engelwesen waren und weit höher standen als die Menschen ihrer unmittelbaren Umgebung. Die Wesen, die zum Beispiel geschildert werden als die ursprünglichen Heroen der griechischen oder sonstigen Völker, die in menschlicher Gestalt wirkten, das sind solche, in denen eine zurückgebliebene

Engelwesenheit inkarniert war. Man darf also diese Wesenheiten durchaus nicht etwa bloß als «böse» Wesenheiten bezeichnen. Im Gegenteil. Sie haben den Menschen das gebracht, was sie über den ganzen Erdball hin zu freien Menschen vorbestimmt hat, was dasjenige differenzierte, das sonst ein gleichförmiges Ganzes über die ganze Erde hin gebildet hätte. So ist es bei den Sprachen, so ist es in vielen Gebieten des Lebens. Die Individualisierung, die Differenzierung, die Freiheit – können wir sagen – kommt von diesen Wesenheiten, die zurückgeblieben waren auf dem Monde. Zwar war es die Absicht der weisen Weltenführung – so könnte man sagen –, alle Wesenheiten in der planetarischen Entwickelung bis zu ihrem Ziele zu bringen; aber wenn dies in unmittelbarer Art geschähe, so würden gewisse Dinge nicht erreicht. Es werden gewisse Wesenheiten in ihrer Entwickelung zurückgehalten, weil diese eine besondere Aufgabe in dem Werdegang der Menschheit haben. Weil die Wesen, welche ihre Aufgabe auf dem Monde voll erreicht hatten, nur eine einheitliche Menschheit hätten erzeugen können, deshalb wurden ihnen entgegengestellt jene Wesen, die auf dem Monde zurückgeblieben waren und die dadurch die Möglichkeit bekamen, dasjenige, was eigentlich ein Fehler bei ihnen war, zum Guten zu wenden.

Von da aus eröffnet sich auch die Aussicht auf die Frage: Warum besteht in der Welt das Böse, das Schlechte, das Unvollkommene, das Krankhafte? – Man betrachte dies unter dem Gesichtspunkt, unter dem eben die unvollkommenen Engelwesen betrachtet worden sind. Alles, was zu irgendeiner Zeit ein Unvollkommenes, ein Zurückgebliebenes darstellt, wird in der Entwickelung doch zu einem Guten gewendet. Daß in einer solchen Wahrheit keine Rechtfertigung der bösen Handlungen des Menschen gesehen werden darf, braucht wohl nicht erst erwähnt zu werden.

Damit ist auch schon die Frage beantwortet: Warum läßt die weise Weltenregierung gewisse Wesenheiten zurückbleiben, so daß sie nicht ihr Ziel erreichen? Das geschieht eben deshalb, weil es in der Zeit, die auf solches Zurückbleiben folgt, seinen guten Sinn hat. Denn als die Völker sich noch nicht selber lenken und leiten konnten, da lebten die Lehrer der Zeiten und der einzelnen Menschen. Und alle die einzelnen Völkerlehrer – Kadmos, Kekrops, Pelops, Theseus und so weiter – haben in gewisser Beziehung eine Engelwesenheit in dem Grunde ihrer Seele. Daraus ist ersichtlich, wie in der Tat die Menschheit auch in dieser Beziehung einer Leitung, einer Führung untersteht.

Nun bleiben aber auf jeder Stufe der Evolution Wesenheiten zurück, die nicht das Ziel erreichen, das erreicht werden kann. Man fasse noch einmal die alte ägyptische Kultur ins Auge, die sich vor mehreren Jahrtausenden im Nil-Lande abgespielt hat, wo sich übermenschliche Lehrer den Ägyptern offenbarten, von denen diese selbst sagten, daß sie wie Götter die Menschen leiteten. Daneben aber wirkten auch solche Wesenheiten, die nur halb oder zum Teil ihre Engelstufe erreicht hatten. Nun muß man sich klar darüber sein, daß der Mensch im alten Ägypten eine bestimmte Entwickelungsstufe erreicht hat, das heißt die Seelen der gegenwärtigen Menschen haben in der ägyptischen Zeit die entsprechende Stufe erreicht. Aber nicht allein der geführte Mensch erlangt etwas dadurch, daß er sich führen läßt, sondern auch bei den leitenden, führenden Wesenheiten bedeutet dieses Leiten etwas, das sie weiterbringt in ihrer Entwickelung. Ein Engel zum Beispiel ist *mehr*, nachdem er die Menschen eine Zeitlang geführt hat, als er war, bevor diese Führung angefangen hat. Durch seine Arbeit in der Führung kommt auch der Engel weiter, und zwar sowohl der, welcher ein voller Engel ist, als auch der, welcher in seiner Entwickelung zurückgeblieben ist. Alle Wesen können immer weiterkommen; alles ist in fortwährender Entwickelung befindlich. Aber auf jeder Stufe bleiben wieder Wesenheiten zurück. Man kann in der alten ägyptischen Kultur im Sinne des Vorstehenden unterscheiden: die göttlichen Führer, die Engel, dann die halb-göttlichen Führer, welche die Engelstufe nicht ganz erreichten, und dann die Menschen. Aber gewisse Wesen aus der Reihe der Übermenschen bleiben wieder zurück, das heißt sie führen nicht so, daß sie alle ihre Kräfte zum Ausdruck bringen, bleiben als Engel während der alten ägyptischen Kulturstufe zurück. In derselben Art bleiben die unvollendeten Übermenschen zurück. Während also die Menschen unten vorrücken, bleiben oben unter den dhyanischen Wesenheiten oder Engeln gewisse Individualitäten zurück. Als die ägyptisch-chaldäische Kultur zu Ende ging und die griechisch-lateinische begann, sind zurückgebliebene leitende Wesenheiten aus der ersteren Kulturepoche vorhanden. Diese können aber nun ihre Kräfte nicht anwenden, denn sie werden in der Führung der Menschheit von anderen Engeln oder halbengelhaften Wesenheiten ersetzt. Das heißt aber: sie können dadurch auch ihre eigene Entwickelung nicht fortsetzen.

Damit ist der Blick gewendet auf eine Kategorie von Wesenheiten, die ihre Kräfte hätten anwenden können während der ägyptischen Zeit, sie aber in dieser Zeit nicht voll angewendet haben. In der darauffolgenden griechisch-lateinischen Zeit konnten sie sie nicht anwenden, weil sie damals von anderen führenden Wesenheiten abgelöst wurden und die ganze Beschaffenheit dieser Zeit ihr Eingreifen unmöglich machte. So wie diejenigen Wesenheiten, die auf dem alten Monde ihre Engelstufe nicht erreicht hatten, später die Aufgabe hatten, während der Erdenzeit wieder tätig einzugreifen in die Entwickelung der Menschheit, so haben nun jene Wesenheiten, welche in der ägyptisch-chaldäischen Kultur als führende Wesenheiten zurückgeblieben sind, auch die Aufgabe, später wieder in die Kultur, als zurückgebliebene Wesenheiten, einzugreifen. Wir werden also erschauen können eine spätere Kulturepoche, in welcher zwar dann zur Führung gekommene Wesenheiten da sind, welche die normal fortschreitende Entwickelung lenken, in welcher aber neben diesen noch andere Wesenheiten eingreifen, welche früher zurückgeblieben sind, und namentlich solche, die während der alten ägyptischen Kultur zurückgeblieben sind. Diese damit angedeutete Kulturperiode ist unsere eigene. Wir leben in einer Zeit, in welcher neben den normalen Lenkern der Menschheit noch eingreifen solche zurückgebliebene Wesenheiten der alten ägyptischen und chaldäischen Kultur.

Man hat die Entwickelung der Tatsachen und Wesenheiten so anzusehen, daß die Vorgänge in der physischen Welt als Wirkungen (Offenbarungen) gelten müssen, deren wahre Ursachen in der geistigen Welt liegen. Unsere Kultur ist im großen und ganzen nach der einen Seite durch eine Aufwärtsbewegung nach der Spiritualität gekennzeichnet. In dem Drang gewisser Menschen zur Spiritualität offenbaren sich diejenigen geistigen Lenker der gegenwärtigen Menschheit, welche für sich ihre normale Entwickelungsstufe erlangt haben. In allem, was heute den Menschen hinaufführen will in das, was uns die Theosophie überliefert von den großen spirituellen Weistümern, offenbaren sich diese normalen Lenker unserer Entwickelung. Aber auch die während der ägyptisch-chaldäischen Kultur zurückgebliebenen Wesenheiten greifen ein in unsere Kulturtendenzen; sie offenbaren sich in vielem, was gegenwärtig und in nächster Zukunft gedacht und geleistet wird. Sie treten in allem in die Erscheinung, was unserer Kultur das *materialistische* Gepräge gibt, und sind oft selbst in dem Streben nach dem Spirituellen bemerkbar. Wir erleben eben im wesentlichen ein Wiederauferstehen der ägyptischen Kultur in unserer Zeit. Die Wesenheiten, welche als die unsichtbaren Leiter dessen anzusehen sind, was in der physischen Welt geschieht, zerfallen demnach in zwei Klassen. Die erste Klasse enthält diejenigen geistigen Individualitäten, welche bis in unsere Gegenwart herein für sich eine normale Entwickelung durchgemacht haben. Sie konnten daher in die Lenkung unserer Kultur eingreifen, während die Leiter der unserer Epoche vorangehenden griechisch-lateinischen Zeit ihre Mission für die Kulturführung in dem ersten christlichen Jahrtausend allmählich beendeten. Die zweite Klasse, welche ihre Arbeit mit den Wesenheiten der ersten Klasse zusammenfließen läßt, sind geistige Individualitäten, welche in der ägyptisch-chaldäischen Kultur ihre Entwickelung nicht vollendet haben. Sie mußten während der folgenden griechisch-lateinischen Zeit untätig bleiben und können jetzt wieder tätig sein, weil unsere Gegenwart eben Ähnlichkeiten mit der ägyptisch-chaldäischen Zeit hat. So kommt es, daß in der gegenwärtigen Menschheit vieles auftaucht, das sich wie ein Wiederauferstehen der alten ägyptischen Kräfte ausnimmt, darunter ist aber auch vieles wie ein Wiederauferstehen solcher Kräfte, die damals geistig wirkten und die jetzt in materialistischer Umprägung wiedererscheinen. Man kann, um dies zu kennzeichnen, auf ein Beispiel hinweisen, wie alte ägyptische Erkenntnisse in unserer Zeit wieder auflebten. Man denke an Kepler. Er war ganz durchdrungen von der Harmonie im Weltenbau; und dies ist zum Ausdruck gekommen in seinen bedeutsamen mathematischen Gesetzen der Himmelsmechanik, in den sogenannten Keplerschen Gesetzen. Diese sind scheinbar recht trocken und abstrakt; aber bei Kepler sind sie herausgeboren aus einem Vernehmen der Harmonie des Weltalls. Man kann in Keplers Schriften selbst lesen, wie er sagt: damit er finden konnte, was er gefunden hat, mußte er hingehen zu den heiligen Mysterien der Ägypter, diesen ihre Tempelgefäße entwenden und durch sie das in die Welt bringen, wovon erst spätere Zeiten wissen werden, was es für die Menschheit bedeutet. Solche Worte Keplers sind durchaus nicht eine bloße Phrase, sondern in ihnen war das dunkle Bewußtsein vorhanden von einem Wiedererleben dessen, was er in der ägyptischen Zeit – während seiner damaligen Verkörperung – kennengelernt hat. Wir dürfen durchaus die Vorstellung hegen, daß Kepler in die alte ägyptische Weisheit während eines seiner früheren Leben eingedrungen ist, und daß in seiner Seele diese ägyptische Weisheit in jener Form neu gestaltet auftrat, die der neueren Zeit angemessen ist. Es ist erklärlich, daß mit dem ägyptischen Genius in unsere Kultur ein materialistischer Zug hereinkommt, denn die Ägypter hatten einen starken Materialismus als Einschlag ihrer Spiritualität, der sich zum Beispiel darin einen Ausdruck gab, daß man den physischen

Leib der Verstorbenen einbalsamierte, das heißt man legte einen Wert auf die Erhaltung des physischen Leibes. Das ist aus der ägyptischen Zeit in entsprechend anderer Form zu uns herübergekommen. Dieselben Kräfte, die damals nicht ihren Abschluß gefunden hatten, greifen in verwandelter Art in unsere Zeit wieder ein. Aus der Gesinnung, welche die Leichen einbalsamierte, wurden die Anschauungen, welche heute bloß den Stoff anbeten. Der Ägypter balsamierte seine Leichen ein und bewahrte damit etwas, was ihm wertvoll war. Er meinte, daß die Entwickelung der Seele nach dem Tode in Zusammenhang stehe mit der Erhaltung des physisch-materiellen Leibes. Der moderne Anatom seziert dasjenige, was er sieht, und glaubt dadurch, die Gesetze der Menschheitsorganisation zu erkennen. – In unserer heutigen Wissenschaft leben die Kräfte der alten ägyptischen und chaldäischen Welt, die damals fortschreitende Kräfte waren, jetzt aber zurückgebliebene darstellen, und die man *erkennen* muß, wenn man den Charakter der Gegenwart richtig würdigen will. Diese Kräfte werden dem Menschen der Gegenwart schaden, wenn er ihre Bedeutung nicht kennt; er wird keinen Schaden durch sie nehmen, sondern sie zu guten Zielen führen, wenn er sich ihres Wirkens bewußt ist und sich dadurch in das rechte Verhältnis zu ihnen bringt. Diese Kräfte müssen ihre Verwertung finden; man würde sonst nicht die großen Errungenschaften in der Technik, Industrie und so weiter in der Gegenwart haben. Es sind Kräfte, die luziferischen Wesenheiten der untersten Stufe angehören. Wenn man sie nicht in richtiger Weise erkennt, dann hält man die materialistischen Impulse der Gegenwart für die einzig möglichen, und sieht nicht die anderen Kräfte, welche hinaufführen in das Spirituelle. Aus

diesem Grunde muß ein klares Erkennen von zwei Geistes-
strömungen in unserer Zeit sprechen.

Wären durch die weise Weltenführung während der
ägyptisch-chaldäischen Zeit solche Wesenheiten nicht zurückgeblieben, so würde es der gegenwärtigen Kultur an der
nötigen Schwere fehlen. Es würden dann nur die Kräfte
wirken, welche den Menschen mit voller Gewalt ins Geistige
bringen wollen. Die Menschen würden nur allzusehr geneigt
sein, sich diesen Kräften zu überlassen. Sie würden Schwär-
mer werden. Solche Menschen würden nur etwas wissen
wollen von einem Leben, das so schnell wie möglich sich ver-
geistigt; und eine Gesinnung wäre für sie maßgebend, die
eine gewisse Verachtung des Physisch-Materiellen zeigte.
Die gegenwärtige Kulturepoche kann aber ihre Aufgabe
nur erfüllen, wenn die Kräfte der materiellen Welt zur
vollsten Blüte gebracht und so allmählich auch ihr Gebiet
der Geistigkeit erobert wird. Wie die schönsten Dinge zu
Verführern und Versuchern der Menschheit werden können, wenn ihnen der Mensch einseitig folgt, so wäre, wenn
die gekennzeichnete Einseitigkeit Platz griffe, die große Gefahr vorhanden, daß alle möglichen guten Bestrebungen als
Fanatismus sich kundgeben würden. So wahr es ist, daß die
Menschheit durch ihre edlen Impulse vorwärts gebracht
wird, so wahr ist es auch, daß durch die schwärmerische und
fanatische Vertretung der edelsten Impulse das Schlimmste
für die richtige Entwickelung bewirkt werden kann. Nur
wenn man in Demut und in Klarheit und nicht aus der
Schwärmerei heraus nach dem Höchsten strebt, kann Heil-
sames für den Fortgang der Menschheit geschehen. Damit
die Gegenwarts-Leistung die nötige Schwere auf der Erde
habe, damit man Verständnis habe für das Materielle, für

die Dinge des physischen Planes, deshalb hat die Weisheit, welche in der Weltenlenkung wirkt, diejenigen Kräfte zurückgelassen, die ihre Entwickelung hätten während der ägyptischen Epoche vollenden sollen, und die jetzt die Blicke der Menschen hinwenden auf das physische Leben.

Aus dieser Darstellung ist ersichtlich, wie die Entwickelung unter dem Einfluß normal fortschreitender und auch zurückbleibender Wesenheiten geschieht. Der hellseherische Blick kann das Zusammenarbeiten der beiden Klassen von Wesenheiten in der übersinnlichen Welt verfolgen. Er begreift dadurch das geistige Geschehen, von dem die physischen Tatsachen, innerhalb welcher der Mensch der Gegenwart steht, die Offenbarung sind.

Man bemerkt, daß es nicht genügt zum Verständnis der Weltvorgänge, wenn durch irgendwelche Übungen das geistige Auge, das geistige Ohr geöffnet ist gegenüber der geistigen Welt. Man hat dadurch nur erreicht, daß man *sieht*, was da ist, daß man die Wesenheiten wahrnehmen kann und weiß: da sind geistige Wesenheiten der Seelenwelt oder des Geistgebietes. Aber es ist auch notwendig, zu erkennen, welcher Art diese Wesenheiten sind. Irgendeine Wesenheit des Seelen- oder Geistgebietes kann einem begegnen; man weiß dann aber noch nicht, ob sie in fortschreitender Entwickelung ist, oder ob sie zur Kategorie der zurückgebliebenen Mächte gehört; ob sie also vorwärts schiebt oder die Entwickelung hemmt. Diejenigen Menschen, welche sich die hellseherischen Fähigkeiten aneignen und nicht zugleich sich das volle Verständnis für die charakterisierten Entwickelungsbedingungen der Menschheit erwerben, können im Grunde genommen niemals wissen, was für eine Art von Wesenheiten ihnen begegnet. Das bloße

Hellsehen muß ergänzt werden durch eine klare Beurteilung des in der übersinnlichen Welt Geschauten. Diese Notwendigkeit ist im höchsten Maße gerade für unsere Zeit vorhanden. Sie war nicht in gleichem Maße zu allen Zeiten zu berücksichtigen. Geht man zurück in sehr alte Menschheitskulturen, so findet man andere Verhältnisse. Wenn im ältesten Ägypten ein Mensch hellsehend war, und es trat ihm eine Wesenheit der übersinnlichen Welt entgegen, so hatte diese gleichsam an der Stirne geschrieben, wer sie ist. Der Hellsehende konnte sie nicht mißdeuten. Dagegen ist die Möglichkeit des Mißverständnisses gegenwärtig eine sehr große. Während die alte Menschheit dem Reiche der geistigen Hierarchien noch nahe stand und sehen konnte, welchen Wesen sie begegnete, ist die Irrtumsmöglichkeit heute eine sehr große, und der einzige Schutz gegen schwere Schädigung ist nur die Bemühung um solche Vorstellungen und Ideen, wie sie in dem Vorhergehenden angedeutet sind.

Einen Menschen, der in die geistige Welt zu schauen vermag, nennt man in der Esoterik einen «Hellseher». Aber nur Hellseher sein, ist nicht genug. Ein solcher könnte wohl sehen, aber nicht unterscheiden. Derjenige, welcher sich die Fähigkeit erworben hat, die Wesen und Vorgänge der höheren Welten zu unterscheiden voneinander, wird ein *«Eingeweihter»* genannt. Die Einweihung bringt die Möglichkeit, zu unterscheiden zwischen den verschiedenen Arten von Wesenheiten. Es kann also jemand hellsehend sein für die höheren Welten, braucht aber kein Eingeweihter zu sein. Für die alten Zeiten war die Unterscheidung der Wesenheiten nicht besonders wichtig; denn wenn die alten Geheimschulen die Schüler zum Hellsehen gebracht hatten, war die Gefahr des Irrtums keine sehr große. Gegenwärtig aber ist die Irrtumsmöglichkeit in hohem Maße vorhanden. Daher sollte in aller esoterischen Schulung darauf Rücksicht genommen werden, daß immer zu der Fähigkeit der Hellsichtigkeit hinzuerworben werde die Einweihung. Der Mensch muß in dem Maße, als er hellseherisch wird, fähig werden, zu unterscheiden zwischen den besonderen Arten der übersinnlichen Wesenheiten und Vorgänge.

Die besondere Aufgabe: ein Gleichgewicht zu schaffen zwischen den Prinzipien des Hellsehens und dem der Einweihung, trat in der neueren Zeit an die führenden Mächte der Menschheit heran. Notwendigerweise mußten Führer der geistigen Schulung das Gekennzeichnete mit dem Beginne der neueren Zeit ins Auge fassen. Diejenige esoterische Geistesrichtung, welche der Gegenwart angemessen ist, macht es sich daher zum Prinzip, zwischen Hellsehen und Einweihung stets das richtige Verhältnis herzustellen. Es wurde dies notwendig in der Zeit, als die Menschheit eine Krisis durchmachte in bezug auf ihr höheres Erkennen. Diese Zeit ist die des dreizehnten Jahrhunderts. Etwa um das Jahr 1250 herum haben wir das Zeitalter, in welchem die Menschen sich am meisten abgeschlossen fühlten von der geistigen Welt. Für den hellseherischen Rückblick auf dieses Zeitalter ergibt sich folgendes. Es konnten sich damals die hervorragendsten Geister, die nach einem gewissen höheren Erkennen strebten, sagen: Was unsere Vernunft, unser Intellekt, was unser geistiges Wissen finden kann, ist beschränkt auf die Welt, die uns als physische umgibt; wir können mit unserm menschlichen Forschen und Erkenntnisvermögen nicht eine geistige Welt erreichen; wir wissen von dieser nur dadurch, daß wir die Nachrichten über sie, welche uns die Menschen der Vorwelt hinterlassen haben, in uns aufnehmen. Es war damals eine Zeit der Verfinsterung des unmittelbaren geistigen Einblickes in die höheren Welten. Daß dies gesagt wurde in der Zeit, als die Scholastik blühte, hat seinen guten Grund.

Ungefähr das Jahr 1250 ist die Zeit, in welcher die Menschen dazu kommen mußten, die Grenze zu ziehen zwischen dem, was man glauben muß nach dem Eindrucke, den die überkommenen Überlieferungen machten, und dem, was man erkennen kann. Das Letztere blieb auf die physische Sinneswelt beschränkt. Und dann kam die Zeit, wo immer mehr und mehr die Möglichkeit sich ergab, wieder einen Einblick zu gewinnen in die geistige Welt. Aber dieses neue Hellsehen ist von anderer Art als das alte, das eben mit dem Jahre 1250 im wesentlichen erloschen war. Für die neue Form der Hellsichtigkeit mußte die abendländische Esoterik streng das Prinzip aufstellen, daß Einweihung die geistigen Ohren und geistigen Augen zu führen habe. Damit ist die besondere Aufgabe charakterisiert, welche sich eine in Europa in die Kultur eintretende esoterische Strömung stellte. Als das Jahr 1250 heranrückte, begann eine neue Art der Führung zu den übersinnlichen Welten.

Diese Führung wurde vorbereitet von den Geistern, welche damals hinter den äußerlichen geschichtlichen Ereignissen standen und schon Jahrhunderte früher die Vorbereitungen trafen für das, was für eine esoterische Schulung durch die 1250 gegebenen Bedingungen notwendig wurde. Wenn mit dem Worte «moderne Esoterik» kein Mißbrauch getrieben wird, so kann es für die geistige Arbeit dieser höher entwickelten Personen angewendet werden. Von ihnen weiß die äußere Geschichte nichts. Was sie taten, trat aber doch in aller Kultur zutage, die sich im Abendlande seit dem dreizehnten Jahrhundert entwickelt hat.

Die Bedeutung des Jahres 1250 für die geistige Entwickelung der Menschheit tritt besonders dann zutage, wenn man das Ergebnis der hellseherischen Forschung berücksichtigt, das in folgender Tatsache gegeben ist. Selbst solche Individualitäten, die in den vorhergehenden Inkarnationen schon hohe geistige Entwickelungsstufen erreicht hatten und die um das Jahr 1250 herum wieder inkarniert wurden, mußten eine Zeitlang eine vollständige Trübung ihres unmittelbaren Einblickes in die geistige Welt erleben. Ganz erleuchtete Individuen waren wie abgeschnitten von der geistigen Welt und konnten von ihr nur aus der Erinnerung an frühere Verkörperungen etwas wissen. So sieht man, wie von jener Zeit an notwendig wurde, daß in der geistigen Lenkung der Menschheit ein neues Element auftrat. Das war das Element der wahren modernen Esoterik. Durch dasselbe ist erst im echten Sinne zu verstehen, wie in die Führung der ganzen Menschheit und auch des einzelnen Menschen eingreifen kann für alle Betätigungen dasjenige, was wir den Christus-Impuls nennen.

Von dem Mysterium auf Golgatha bis zum Eingreifen der modernen Esoterik liegt die erste Zeit des Verarbeitens des Christus-Prinzips in den Menschenseelen. Die Menschen nahmen den Christus in dieser Zeit gewissermaßen für die höheren Geisteskräfte unbewußt auf, so daß sie später, als sie gezwungen wurden, ihn bewußt aufzunehmen, alle möglichen Fehler machten und in ein Labyrinth in bezug auf das Christus-Verständnis gerieten. Man kann verfolgen, wie in der ersten Zeit des Christentums das Christus-Prinzip sich in untergeordnete Seelenkräfte einlebte. Dann kam eine neue Zeit, in welcher die Menschen der Gegenwart noch darinnen stehen. Ja, sie sind in gewisser Beziehung erst im Anfange des Verständnisses des Christus-Prinzipes für die höheren Seelenfähigkeiten. Im weiteren Verlauf dieser Darstellung soll gezeigt werden, daß der Rückgang der übersinnlichen Erkenntnis bis in das dreizehnte Jahrhundert hinein und das andersartige langsame Wiederaufleben derselben seit jener Zeit zusammenfällt mit dem Eingreifen des Christus-Impulses in die Menschheitsentwickelung.

So kann die moderne Esoterik aufgefaßt werden als die Erhebung des Christus-Impulses zum treibenden Elemente in der Führung jener Seelen, welche sich gemäß den Entwickelungsbedingungen der neueren Zeit zu einer Erkenntnis der höheren Welten durchringen wollen.

III

Entsprechend den vorangehenden Ausführungen kann man die geistige Leitung im Werdegang der Menschheitsentwickelung bei den Wesenheiten suchen, welche ihre Menschheit während der vorigen Verkörperung des Erdenplaneten – während der alten Mondenzeit – durchgemacht haben. Dieser Leitung stellt sich eine andere entgegen, die erstere hemmend und doch im Hemmen in gewisser Beziehung wieder fördernd, welche von den Wesenheiten ausgeübt wird, die während der Mondenzeit ihre eigene Entwickelung nicht vollendet haben. Damit ist hingedeutet auf die führenden Wesenheiten, welche *unmittelbar* über dem Menschen stehen. Auf diejenigen sowohl, welche vorwärts führen wie auch auf diejenigen, welche dadurch fördern, daß sie Widerstände hervorrufen und dadurch die Kräfte, welche durch die vorwärtsbewegenden Wesenheiten entstehen, in sich erstarken, festigen, ihnen Gewicht und Eigennatur verleihen. Im Sinne der christlichen Esoterik kann man diese zwei Klassen von übermenschlichen Wesen Engel (Angeloi) nennen. Über diesen Wesenheiten stehen in der Rangordnung nach aufwärts diejenigen der höheren Hierarchien, der Archangeloi, Archai und so weiter, die sich ebenfalls an der Menschheitsführung beteiligen.

Innerhalb der Klassen dieser verschiedenen Wesenheiten gibt es alle möglichen Abstufungen in bezug auf die Vollkommenheitsgrade. Es gibt zum Beispiel in der Kategorie der Angeloi beim Beginn der gegenwärtigen Erdentwickelung höchststehende und weniger hochstehende. Die ersteren sind über das Mindestmaß ihrer Mondentwickelung weit hinausgeschritten. Zwischen diesen und jenen, welche dieses

Mindestmaß eben erreicht hatten, als die Mondentwickelung zu Ende war und die Erdentwickelung begann, stehen alle möglichen Abstufungen. Gemäß diesen Abstufungen geschieht das Eingreifen der betreffenden Wesenheiten in die Führung der Erdentwickelung der Menschheit. So haben in der ägyptischen Kulturentwickelung die Führung Wesen ausgeübt, welche auf dem Monde vollkommener geworden waren als diejenigen, welche in der griechisch-lateinischen Zeit Führer waren. Und diese waren wieder vollkommener als diejenigen, welche in der gegenwärtigen Zeit führen. In der ägyptischen beziehungsweise griechischen Zeit haben die später in die Führung eingreifenden sich mittlerweile selbst ausgebildet und sich so zur Führung der weiter gekommenen Kultur reif gemacht.

Man unterscheidet von der Zeit der großen atlantischen Katastrophe ab sieben aufeinanderfolgende Kulturepochen: die erste ist die uralt-indische Kulturperiode, darauf folgt die urpersische *, die dritte ist die ägyptisch-chaldäische, die vierte die griechisch-lateinische und die fünfte ist unsere eigene, die etwa seit der Zeit des zwölften Jahrhunderts sich allmählich herausgebildet hat, und in der wir noch mitten drinnen stehen. Allerdings bereiten sich in unserer Zeit schon die ersten Tatsachen vor, welche zur sechsten nachatlantischen Kulturperiode hinüberführen werden. Denn die einzelnen Entwickelungszeiten greifen übereinander. Auf die sechste Epoche wird dann noch eine siebente folgen. Genauer angesehen, erweist sich nun für die Menschheits-

* Mit «urpersisch» wird hier nicht das bezeichnet, was in der gewöhnlichen Geschichte «persisch» heißt, sondern eine alte asiatische vorgeschichtliche (iranische) Kultur, welche auf dem Boden sich entwickelte, auf dem sich später das persische Reich ausdehnte.

führung das Folgende. Nur für die dritte Kulturperiode, die ägyptisch-chaldäische, waren die Engel (oder niedern dhyanischen Wesenheiten im Sinne der orientalischen Mystik) die in einem gewissen Grade selbständigen Führer der Menschen. Für die urpersische Zeit war es schon nicht so. Da unterstanden die Engel in einem viel höheren Maße als während der ägyptischen Zeit einer höheren Führung und richteten alles so ein, wie es den Impulsen der nächsthöheren Hierarchie entsprach, so daß alles zwar unter der Leitung der Engel stand, aber diese selbst fügten sich wieder der Anordnung der Erzengel oder der Archangeloi. Und in der indischen Kulturperiode, in welcher das nachatlantische Leben eine solche Höhe in geistiger Beziehung hatte, wie nachher vorläufig nicht wieder – eine natürliche Höhe unter der Leitung der großen menschlichen Lehrer –, da unterstanden die Erzengel selber wieder in ähnlichem Sinne der Führung der Archai oder Urbeginne.

Verfolgt man also von der indischen Zeit durch die urpersische und ägyptisch-chaldäische Kultur hindurch die Entwickelung der Menschheit, so kann man sagen, daß sich gewisse Wesenheiten der höheren Hierarchien sozusagen immer mehr und mehr zurückzogen von der unmittelbaren Leitung der Menschheit. Und wie war es in der vierten nachatlantischen Kulturperiode, der griechisch-lateinischen Zeit? Da war der Mensch in gewisser Richtung ganz selbständig geworden. Die führenden übermenschlichen Wesenheiten griffen zwar in den Werdegang der Menschheitsentwickelung ein; allein ihre Führung war so, daß die Zügel möglichst wenig angezogen waren, daß die Geistes-Führer für sich ebensoviel durch die Taten der Menschen hatten, wie diese durch jene. Daher jene eigentümliche, ganz «menschliche» Kultur in der griechisch-römischen Zeit, in welcher der Mensch völlig auf sich selbst gestellt ist.

Alle Eigentümlichkeiten in der Kunst, im staatlichen Leben während der griechischen und römischen Zeit sind darauf zurückzuführen, daß der Mensch sich sozusagen selbst in seiner Eigenart ausleben sollte. Wenn wir also in die ältesten Zeiten der Kulturentwickelung zurückblicken, finden wir führende Wesenheiten, welche ihre Entwickelung bis zum Menschen in früheren planetarischen Zuständen abgeschlossen hatten. Die vierte nachatlantische Kulturepoche war dazu da, den Menschen am allermeisten zu prüfen. Daher war das auch die Zeit, in welcher sich die ganze geistige Führung der Menschheit in einer neuen Art einrichten mußte. Die Menschen der Gegenwart leben in der fünften nachatlantischen Kulturepoche. Die führenden Wesenheiten dieser Epoche gehören derselben Hierarchie an, die bei den alten Ägyptern und Chaldäern herrschend war. In der Tat beginnen dieselben Wesenheiten, welche damals geführt haben, wieder in unserer Zeit ihre Tätigkeiten. Es ist angeführt worden, daß gewisse Wesenheiten während der ägyptisch-chaldäischen Kultur zurückgeblieben sind, und daß man diese in den materialistischen Gefühlen und Empfindungen unserer Zeit findet.

Der Fortschritt, sowohl der vorwärtsführenden wie der hemmenden Wesenheiten, die zur Klasse der Engel (oder niedern dhyanischen Wesenheiten) gehören, besteht darin, daß sie bei den Ägyptern und Chaldäern durch diejenigen Eigenschaften Führer sein konnten, welche sie selber in uralten Zeiten errungen hatten, daß sie sich aber durch ihre Führerarbeit auch weiter entwickelten. So treten die fortschreitenden Angeloi in die Leitung der fünften nachatlantischen Kulturentwickelung mit Fähigkeiten ein, welche sie sich während der dritten, der ägyptisch-chaldäischen, erworben haben. Sie eignen sich nun durch diesen ihren Fortschritt ganz besondere Fähigkeiten an. Sie machen sich nämlich geeignet, in sich die Kräfte einfließen zu lassen, welche von dem wichtigsten Wesen der ganzen Erdenentwickelung ausgehen. Auf sie wirkt die Kraft Christi. Diese Kraft wirkt nämlich nicht nur durch Jesus von Nazareth auf die physische Welt, sondern sie wirkt auch in den geistigen Welten auf die übermenschlichen Wesen. Der Christus existiert nicht nur für die Erde, sondern auch für diese Wesenheiten. Dieselben Wesenheiten, welche die alte ägyptisch-chaldäische Kultur geführt haben, standen damals nicht unter der Leitung des Christus, sondern sie haben sich erst seit der ägyptisch-chaldäischen Zeit der Führung des Christus unterstellt. Und darin besteht ihr Fortschritt, so daß sie jetzt unsere fünfte nachatlantische Kulturperiode unter dem Einflusse des Christus leiten; sie folgen ihm in den höheren Welten. Und das Zurückbleiben derjenigen Wesenheiten, von denen gesagt worden ist, daß sie als hemmende Kräfte wirken, rührt davon her, daß diese sich nicht unterstellt haben der Führung des Christus, so daß sie unabhängig von dem Christus weiter wirken. Daher wird immer deutlicher und deutlicher folgendes in der Kultur der Menschheit hervortreten. Es wird eine materialistische Strömung geben, die unter der Führung der zurückgebliebenen ägyptisch-chaldäischen Geister steht; sie wird einen materialistischen Charakter haben. Das meiste, was man die heutige materialistische Wissenschaft in allen Ländern nennen kann, steht unter diesem Einfluß. Aber daneben macht sich eine andere Strömung geltend, die darauf hinzielt, daß der Mensch bei allem, was er tut, endlich das finden wird, was man das Christus-Prinzip nennen kann. Es gibt heute zum Beispiel Menschen, welche sagen: Unsere Welt besteht im letzten Grunde aus Atomen. Wer flößt denn dem Menschen die Gedanken ein, daß die Welt aus Atomen bestehe? Das sind die während der ägyptisch-chaldäischen Zeit zurückgebliebenen übermenschlichen Engelwesenheiten.

Was werden nun die Wesenheiten lehren, welche ihr Ziel im alten ägyptisch-chaldäischen Kulturgebiet erreicht haben, und die damals den Christus kennengelernt haben? Sie werden dem Menschen andere Gedanken einflößen können als die, daß es nur stoffliche Atome gebe; denn sie werden den Menschen lehren können, daß bis in die kleinsten Teile der Welt hinein die Substanz von dem Geiste des Christus durchzogen ist. Und so sonderbar es erscheinen mag: Künftig werden Chemiker und Physiker kommen, welche Chemie und Physik nicht so lehren, wie man sie heute lehrt unter dem Einfluß der zurückgebliebenen ägyptisch-chaldäischen Geister, sondern welche lehren werden: Die Materie ist aufgebaut in dem Sinne, wie der *Christus* sie nach und nach angeordnet hat! – Man wird den Christus bis in die Gesetze der Chemie und Physik hinein finden. Eine spirituelle Chemie, eine spirituelle Physik ist das, was in der Zukunft kommen wird. Heute erscheint das ganz gewiß vielen Leuten als eine Träumerei oder Schlimmeres. Aber was oft die Vernunft der kommenden Zeiten ist, das ist für die vorhergehenden Torheit.

Die Faktoren, welche in diesem Sinne in die menschliche Kulturentwickelung eingreifen, sind schon jetzt für den genauer Zusehenden zu bemerken. Ein solcher kennt aber auch ganz gut, was vom gegenwärtigen wissenschaftlichen oder philosophischen Standpunkt aus mit einem scheinbaren Recht gegen diese vermeintliche Torheit einzuwenden ist.

Von solchen Voraussetzungen aus versteht man auch, *was* die führenden übermenschlichen Wesenheiten voraus haben vor den Menschen. Die Menschen in der nachatlantischen Zeit haben den Christus in der vierten nachatlantischen Kulturperiode, in der griechisch-lateinischen Zeit kennengelernt. Denn während des Ablaufes dieser Kulturepoche fällt das Christus-Ereignis in die Entwickelung hinein. Da lernten die Menschen den Christus kennen. Die übermenschlichen leitenden Wesenheiten haben ihn während der ägyptisch-chaldäischen Zeit kennengelernt und sich zu ihm emporgearbeitet. Sie mußten dann während der griechisch-lateinischen Zeit die Menschen ihrem eigenen Schicksal überlassen, um dann später wieder in die Menschheitsentwickelung einzugreifen. Und wenn man heute Theosophie treibt, so bedeutet das nichts anderes, als die Anerkennung der Tatsache, daß die übermenschlichen Wesenheiten, welche die Menschheit geleitet haben, jetzt ihre Führerschaft so fortsetzen, daß sie sich selber unter der Führung des Christus befinden. – So ist es auch mit andern Wesenheiten.

In der urpersischen Zeit waren die Erzengel an der Führung der Menschheit beteiligt. Sie haben nun noch früher sich dem Christus unterstellt als die im Rang unter ihnen befindlichen Wesenheiten. Von Zarathustra kann gesagt werden, daß er seine Anhänger und sein Volk auf die Sonne hinwies und etwa sagte: In der Sonne lebt der große Geist Ahura Mazdao, der hernieder kommen wird zur Erde! – Denn die Wesenheiten aus der Region der Erzengel, welche den Zarathustra führten, wiesen ihn hin auf den großen Sonnenführer, der damals noch nicht auf die Erde heruntergekommen war, sondern erst den Weg dahin angetreten hatte, um später in die Erdentwickelung *unmittelbar* einzugreifen. Und die führenden Wesenheiten, welche den großen Lehrern der Inder vorstanden, haben diese gewiesen auf den Christus der Zukunft; denn es ist ein Irrtum, wenn man meint, diese Lehrer hätten den Christus nicht geahnt. Sie haben gesagt, daß er «über ihrer Sphäre» sei, daß sie ihn «nicht erreichen könnten».

Wie nun die Engel in unserer fünften Kulturperiode es sind, die den Christus heruntertragen in unsere geistige Entwickelung, so werden in der sechsten Kulturperiode diejenigen Wesen aus der Klasse der Erzengel die Kultur führen, welche die urpersische Kulturperiode geleitet haben. Und die Geister des Urbeginnes, die Archai, welche die Menschheit während der alten indischen Zeit leiteten, sie werden unter dem Christus in der siebenten Kulturepoche die Menschheit zu lenken haben. In der griechisch-lateinischen Zeit war der Christus heruntergestiegen aus geistigen Höhen und hat sich geoffenbart im fleischlichen Leibe des Jesus von Nazareth. Er ist da heruntergestiegen bis in die physische Welt. In der nächsthöheren Welt wird er zu finden sein, wenn die Menschheit dazu reif geworden sein wird. Nicht in der physischen Welt kann er in Zukunft zu finden sein, sondern nur in den nächsthöheren Welten. Denn die Menschen werden nicht dieselben geblieben sein; sie werden reifer geworden sein und den Christus finden, wie ihn Paulus durch das Ereignis vor Damaskus, in dieser Beziehung die Zukunft prophetisch voraussehend, in der geistigen Welt gefunden hat. Und wie es in unserer Zeit dieselben großen Lehrer sind, welche schon in der ägyptisch-chaldäischen Kultur die Menschen geleitet haben, so werden sie auch diejenigen sein, welche im zwanzigsten Jahrhundert die Menschen hinaufführen werden zu einem Schauen des Christus, wie ihn Paulus gesehen hat. Sie werden dem Menschen zeigen, wie der Christus nicht nur auf die Erde wirkt, sondern das ganze Sonnensystem durchgeistigt. Und als einen Geist, der geahnt wurde durch das einheitliche Brahman, in das aber erst der richtige Inhalt durch den Christus einziehen kann, werden auch die, welche die wiederverkörperten heiligen Lehrer Indiens in der siebenten Kulturperiode sein werden, den großen gewaltigen Geist verkünden, von dem sie damals gesagt haben, daß er über ihrer Sphäre walte. So wird die Menschheit von Stufe zu Stufe hinaufgeleitet werden in die geistige Welt.

So über den Christus zu sprechen, wie er Führer ist in den aufeinanderfolgenden Welten auch für die höheren Hierarchien, das lehrt die Wissenschaft, die unter der Signatur des Rosenkreuzes seit dem zwölften, dreizehnten Jahrhundert in unsere Kultur eingetreten ist, und von der gezeigt worden ist, daß sie seit dieser Zeit notwendig geworden ist. Betrachtet man im Sinne dieser Anschauung die Wesenheit näher, welche in Palästina gelebt hat, und welche dann das Mysterium von Golgatha vollbracht hat, so zeigt sich das Folgende.

Es hat bis in unsere Gegenwart herein viele Vorstellungen über den Christus gegeben. Da gab es zum Beispiel die Vorstellung gewisser christlicher Gnostiker der ersten Jahrhunderte, welche sagten: Der Christus, der gelebt hat in Palästina, war überhaupt in keinem physischen fleischlichen Leib vorhanden; er habe nur einen Scheinleib gehabt, einen Ätherleib, der physisch sichtbar geworden war; so daß also auch sein Kreuzestod kein wirklicher Tod gewesen wäre, sondern nur ein scheinbarer, weil eben nur ein Ätherleib vorhanden war. Dann findet man die verschiedenen Streitigkeiten unter den Anhängern des Christentums, so zum Beispiel den bekannten Streit zwischen den Arianern und Athanasianern und so weiter, und auch bei ihnen die verschiedensten Auslegungen über das, was der Christus eigentlich sei. Bis in unsere Zeit hinein machen sich die Menschen die mannigfaltigsten Vorstellungen über den Christus.

Die Geisteswissenschaft muß in Christus nicht bloß eine irdische, sondern eine *kosmische* Wesenheit erkennen. In gewissem Sinne ist der Mensch überhaupt ein kosmisches Wesen. Er lebt ein zweifaches Leben. Ein solches im physischen Leib von der Geburt bis zum Tode, und ein Leben in den geistigen Welten zwischen dem Tode und einer neuen Geburt. Ist nun der Mensch in einem physischen Leibe verkörpert, dann lebt er – weil der physische Leib auf die Daseinsbedingungen und Kräfte der Erde angewiesen ist – in Abhängigkeit von der Erde. Aber der Mensch nimmt nicht nur die Stoffe und Kräfte der Erde in sich auf, sondern er ist eingegliedert in den ganzen physischen Erdorganismus, gehört zu ihm. Wenn er durch die Pforte des Todes gegangen ist, dann gehört er nicht den Kräften der Erde an; aber es wäre unrichtig, sich vorzustellen, daß er dann keinerlei Kräften angehörte, sondern er ist dann verbunden mit den Kräften des Sonnensystems und der weiteren Sternensysteme. Er lebt zwischen Tod und neuer Geburt ebenso im Kosmischen, wie er in der Zeit von der Geburt bis zum Tode im Bereich des Irdischen lebt. Er gehört vom Tode bis zur neuen Geburt dem Kosmos an, wie er auf der Erde angehört den Elementen Luft, Wasser, Erde und so weiter. Indem er das Leben durchlebt zwischen Tod und neuer

Geburt, kommt er in den Bereich der kosmischen Einwir-
kungen. Von den Planeten kommen nicht etwa bloß die
physischen Kräfte, welche die physische Astronomie lehrt,
die Schwerkraft und die anderen physischen Kräfte, sondern
auch geistige Kräfte. Und mit diesen geistigen Kräften des
Kosmos steht der Mensch in Verbindung; und zwar jeder
Mensch in einer besonderen Weise, je nach seiner Individualität. Er lebt, wenn er in Europa geboren ist, mit den
Wärmeverhältnissen und so weiter in einem anderen Zusammenhange, als wenn er zum Beispiel in Australien geboren wäre. Ebenso steht er im Leben zwischen Tod und
neuer Geburt in Beziehung: der eine mehr zu den geistigen
Kräften des Mars, der andere mehr zu denen des Jupiter,
mancher mehr zu jenen des ganzen Planetensystems überhaupt und so weiter. Und diese Kräfte sind es auch, die den
Menschen wieder auf die Erde zurückführen. So lebt er die
Zeit vor einer Geburt mit dem gesamten Sternenraum in
Verbindung.

Nach diesen besonderen Verhältnissen eines Menschen
zum kosmischen System bestimmen sich auch die Kräfte, die
einen Menschen zu diesem oder jenem Elternpaar, in diese
oder jene Gegend hinleiten. Der Trieb, der Impuls, sich da
oder dort, in diese oder jene Familie, in dieses oder jenes
Volk, zu diesem oder jenem Zeitpunkt zu inkarnieren,
hängt davon ab, wie der Mensch vor der Geburt in den
Kosmos eingegliedert ist.

Man hatte in der älteren Zeit im deutschen Sprachgebiet
einen Ausdruck, der außerordentlich bezeichnend war für
den Eintritt der Geburt eines Menschen. Wenn ein Mensch
geboren wurde, sagte man, er sei da oder dort *jung geworden.* Darinnen liegt ein unbewußter Hinweis darauf, daß

der Mensch in der Zeit zwischen dem Tode und einer neuen Geburt zuerst den Kräften weiter untersteht, welche ihn in der vorhergehenden Verkörperung alt gemacht haben, und daß an deren Stelle dann noch vor der Geburt solche treten, welche ihn wieder «jung» machen. So gebraucht noch Goethe im «Faust» den Ausdruck «im Nebellande jung geworden», wobei «Nebelland» der alte Name für das mittelalterliche Deutschland ist.

Dem Stellen des *Horoskops* liegt die Wahrheit zum Grunde, daß der Kenner dieser Dinge die Kräfte lesen kann, nach denen sich der Mensch in das physische Dasein hereinfindet. Einem Menschen ist ein bestimmtes Horoskop zugeordnet, weil in demselben sich die Kräfte ausdrücken, die ihn ins Dasein geführt haben. Wenn so zum Beispiel im Horoskop der Mars über dem Widder steht, so heißt das, daß gewisse Widderkräfte nicht durch den Mars durchgelassen werden, daß sie abgeschwächt werden. Es wird also der Mensch in das physische Dasein hineingestellt, und das Horoskop ist das, wonach er sich richtet, bevor er sich hineinbegibt in das irdische Dasein. Es soll diese Sache, die ja in unserer Gegenwart so gewagt erscheint, nicht berührt werden, ohne darauf aufmerksam zu machen, daß fast alles, was in dieser Richtung jetzt getrieben wird, der reinste Dilettantismus ist – ein wahrer Aberglaube –, und daß für die äußere Welt die *wahre Wissenschaft* von diesen Dingen zum großen Teile ganz verloren gegangen ist. Man soll daher die prinzipiellen Dinge, welche hier gesagt werden, nicht beurteilen nach dem, was gegenwärtig vielfach als Astrologie ein fragwürdiges Dasein führt.

Was den Menschen hereintreibt in die physische Verkörperung, das sind die wirksamen Kräfte der Sternenwelt.

Wenn das hellseherische Bewußtsein einen Menschen betrachtet, so kann es an seiner Organisation wahrnehmen, wie diese tatsächlich ein Ergebnis des Zusammenwirkens von kosmischen Kräften ist. Dies soll nun in hypothetischer, aber völlig den hellseherischen Wahrnehmungen entsprechender Form veranschaulicht werden.

Wenn man das physische Gehirn eines Menschen herausnehmen und es hellseherisch untersuchen würde, wie es konstruiert ist, so daß man sehen würde, wie gewisse Teile an bestimmten Stellen sitzen und Fortsätze aussenden, so würde man finden, daß das Gehirn bei jedem Menschen anders ist. Nicht zwei Menschen haben ein gleiches Gehirn. Aber man denke sich nun, man könnte dieses Gehirn mit seiner ganzen Struktur photographieren, so daß man eine Art Halbkugel hätte und alle Einzelheiten daran sichtbar wären, so gäbe dies für jeden Menschen ein anderes Bild. Und wenn man das Gehirn eines Menschen photographierte in dem Moment, in dem er geboren wird, und dann auch den Himmelsraum photographierte, der genau über dem Geburtsort dieses Menschen liegt, so zeigte dieses Bild ganz dasselbe wie das menschliche Gehirn. Wie in diesem gewisse Teile angeordnet sind, so in dem Himmelsbilde die Sterne. Der Mensch hat in sich ein Bild des Himmelsraumes, und zwar jeder ein anderes Bild, je nachdem er da oder dort, in dieser oder jener Zeit geboren ist. Das ist ein Hinweis darauf, daß der Mensch herausgeboren ist aus der ganzen Welt.

Wenn man dies ins Auge faßt, kann man sich auch zu der Vorstellung erheben, wie das Makrokosmische in dem einzelnen Menschen sich zeigt, und davon ausgehend die Idee gewinnen, wie es sich in dem Christus zeigt. Wenn man sich den Christus *nach* der Johannes-Taufe so vorstellte, als ob bei ihm das Makrokosmische gelebt hätte wie bei einem anderen Menschen, so bekäme man eine falsche Vorstellung.

Man betrachte zunächst Jesus von Nazareth. Dieser hatte ganz besondere Daseinsbedingungen. Im Beginne unserer Zeitrechnung sind *zwei* Jesus-Knaben geboren worden. Der eine stammte aus der nathanischen Linie des Hauses David, der andere aus der salomonischen Linie desselben Hauses. Diese beiden Knaben waren nicht ganz zu gleicher Zeit geboren, aber doch annähernd. In dem salomonischen Jesus-Knaben, den das Matthäus-Evangelium schildert, inkarnierte sich dieselbe Individualität, die früher als Zarathustra auf der Erde gelebt hat, so daß man in diesem Jesus-Kinde des Matthäus-Evangeliums vor sich hat den wiederverkörperten Zarathustra oder Zoroaster. So wächst heran, wie ihn Matthäus schildert, in diesem Jesus-Knaben bis zum zwölften Jahre die Individualität des Zarathustra. In diesem Jahre verläßt Zarathustra den Körper dieses Knaben und geht hinüber in den Körper des anderen Jesus-Knaben, den das Lukas-Evangelium schildert. Daher wird dieses Kind so plötzlich etwas ganz anderes. Die Eltern erstaunen, als sie es in Jerusalem im Tempel wiederfinden, nachdem in dasselbe der Geist des Zarathustra eingetreten war. Das wird dadurch angedeutet, daß der Knabe, nachdem er verlorengegangen war und in Jerusalem im Tempel wiedergefunden wurde, so gesprochen hat, daß ihn die Eltern nicht wiedererkannten, weil sie dieses Kind – den nathanischen Jesus-Knaben – eben nur so kannten, wie er früher war. Aber als es anfing zu den Schriftgelehrten im Tempel zu reden, da konnte es so sprechen, weil in dasselbe der Geist des Zarathustra eingetreten war. – Bis zum dreißigsten

Jahre lebte der Geist des Zarathustra in dem Jesus-Jüngling, der aus der nathanischen Linie des Hauses David stammte. In diesem andern Körper reifte er heran zu einer noch höheren Vollendung. Noch ist zu bemerken, daß in diesem andern Körper, in dem jetzt der Geist des Zarathustra lebte, das Eigentümliche war, daß in dessen *Astralleib* der *Buddha* seine Impulse aus der geistigen Welt einstrahlen ließ.

Die morgenländische Tradition ist richtig, daß der Buddha als ein «Bodhisattva» geboren wurde, und erst während seiner Erdenzeit, im neunundzwanzigsten Jahre, zur Buddha-Würde aufgestiegen ist.

Asita, der große indische Weise, kam, als der Gotama Buddha ein kleines Kind war, in den Königspalast des Vaters des Buddha weinend. Dies aus dem Grunde, weil er als Seher hat wissen können, daß dieses Königskind der «Buddha» werden wird, und weil er sich als ein alter Mann fühlte, der es nicht mehr erleben wird, wie der Sohn des Suddhodana zum Buddha werden wird. Dieser Weise wurde in der Zeit des Jesus von Nazareth wiedergeboren. Es ist derselbe, der uns im Lukas-Evangelium als jener Tempelpriester vorgeführt wird, welcher in dem nathanischen Jesus-Knaben den Buddha sich offenbaren sieht. Und weil er dies sah, deshalb sagte er: «Laß, Herr, deinen Diener in Frieden fahren, denn ich habe meinen Meister gesehen!» Was er damals in Indien nicht sehen konnte, das sah er durch den Astralleib dieses Jesus-Knaben, der uns als der des Lukas-Evangeliums entgegentritt: den zum Buddha gewordenen Bodhisattva.

Das alles war notwendig, damit der Leib zustande kommen konnte, welcher dann am Jordan die «Johannes-Taufe» empfing. Damals verließ die Individualität des Zarathustra den dreifachen Leib – physischen Leib, Ätherleib, Astralleib – jenes Jesus, der auf so komplizierte Weise herangewachsen war, damit der Geist des Zarathustra in ihm sein konnte. Durch zwei Entwickelungsmöglichkeiten, die in den beiden Jesus-Knaben gegeben waren, mußte hindurchgehen der wiedergeborene Zarathustra. Es stand also dem Täufer gegenüber der Leib des Jesus von Nazareth, und in diesen wirkte nun herein die kosmische Individualität des Christus. Bei einem andern Menschen wirken die kosmisch-geistigen Gesetze nur so, daß sie ihn in das Erdenleben hereinstellen. Dann treten entgegen diesen Gesetzen diejenigen, welche aus den Bedingungen der Erdenentwickelung stammen. Bei dem Christus Jesus blieben nach der Johannes-Taufe die kosmisch-geistigen Kräfte allein wirksam, ohne alle Beeinflussung durch die Gesetze der Erdenentwickelung.

Während Jesus von Nazareth als Christus Jesus in den letzten drei Jahren seines Lebens vom dreißigsten bis zum dreiunddreißigsten Jahre in Palästina auf der Erde wandelte, wirkte fortwährend die ganze kosmische Christus-Wesenheit in ihn herein. Immer stand der Christus unter dem Einfluß des ganzen Kosmos, er machte keinen Schritt, ohne daß die kosmischen Kräfte in ihn hereinwirkten. Was hier bei dem Jesus von Nazareth sich abspielte, war ein fortwährendes Verwirklichen des Horoskopes; denn in jedem Moment geschah das, was sonst nur bei der Geburt des Menschen geschieht. Das konnte nur dadurch so sein, daß der ganze Leib des nathanischen Jesus beeinflußbar geblieben war gegenüber der Gesamtheit der unsere Erde lenkenden Kräfte der kosmisch-geistigen Hierarchien. Wenn

so der ganze Geist des Kosmos in den Christus Jesus herein-
wirkte, wer ging dann zum Beispiel nach Kapernaum oder
sonstwo hin? Was da als ein Wesen auf der Erde wandelte,
das sah allerdings wie ein anderer Mensch aus. Die wirksamen Kräfte darin aber waren die kosmischen Kräfte, die
von Sonne und Sternen kamen; sie dirigierten den Leib.
Und je nach der Gesamtwesenheit der Welt, mit welcher die
Erde zusammenhängt, geschah das, was der Christus Jesus
tat. Daher ist so oft die *Sternkonstellation* für die Taten
des Christus Jesus in den Evangelien leise angedeutet. Man
lese im Johannes-Evangelium, wie der Christus seine ersten
Jünger findet. Da wird angegeben: «Es war aber um die
zehnte Stunde»; weil der Geist des ganzen Kosmos in Ge-
mäßheit der Zeitverhältnisse sich in dieser Tatsache zum
Ausdruck brachte. Solche Andeutungen sind an andern
Evangelien-Stellen weniger deutlich; wer aber die Evangelien lesen kann, der findet sie überall.

Von diesem Gesichtspunkte aus sind zum Beispiel die
Wunder der Krankenheilungen zu beurteilen. Man fasse
nur eine Stelle ins Auge, diejenige, wo es heißt: «Als die
Sonne untergegangen war, da brachten sie zu ihm die Kranken, und er heilte sie.» Was heißt das? Da macht der Evan-
gelist darauf aufmerksam, daß diese Heilung mit der ganzen Sternkonstellation zusammenhing, daß eine solche
Weltenkonstellation vorhanden war in der entsprechenden
Zeit, die nur hat herbeigeführt werden können, als die
Sonne untergegangen war. Gemeint ist, daß in dieser Zeit
die entsprechenden Heilkräfte sich offenbaren konnten nach
Sonnenuntergang. Der Christus Jesus wird als der Mittler
dargestellt, welcher den Kranken mit den Kräften des Kosmos zusammenbringt, die gerade zu jener Zeit heilend wir-

ken konnten. Diese Kräfte waren dieselben, die als Christus in Jesus wirkten. Durch Christi Gegenwart geschah die Heilung, weil infolge derselben der Kranke den ihn heilenden Kräften des Kosmos ausgesetzt wurde, die nur unter den betreffenden Raumes- und Zeitverhältnissen so wirken konnten, wie sie wirkten. Die Kräfte des Kosmos wirkten durch ihren Repräsentanten, den Christus, auf den Kranken.

So aber konnten sie nur gerade zu Christi Erdenzeit wirken. Es bestand nur damals ein solcher Zusammenhang zwischen den kosmischen Konstellationen und den Kräften im Menschheitsorganismus, daß für gewisse Krankheiten eine Heilung eintreten konnte, wenn durch den Christus Jesus die kosmische Konstellation auf den Menschen wirkte. Eine Wiederholung dieser Verhältnisse im kosmischen und Erdenwerden ist ebensowenig möglich wie eine zweite Verkörperung des Christus in einem menschlichen Leibe. So angesehen, erscheint der Wandel des Christus Jesus als der irdische Ausdruck eines bestimmten Verhältnisses des Kosmos zu den Kräften des Menschen. Das Weilen eines Kranken an der Seite Christi bedeutet, daß sich dieser Kranke durch die Nähe Christi in einem solchen Verhältnisse zum Makrokosmos befand, das auf ihn heilend wirken konnte.

*

Damit sind die Gesichtspunkte angegeben, die erkennen lassen, wie die Führung der Menschheit unter den Einfluß des Christus sich gestellt hat. Aber die anderen Kräfte, die zurückgeblieben waren in der ägyptisch-chaldäischen Zeit, wirken neben den von Christus durchdrungenen weiter. Dies zeigt sich auch darinnen, wie sich die Gegenwart viel-

fach zu den Evangelien selbst stellt. Es erscheinen Literaturwerke, die sich in sonderbarer Weise bemühen, zu zeigen,
daß man die Evangelien verstehen kann, indem man sie
astrologisch auslegt. Die größten Gegner der Evangelien
berufen sich auf dieses astrologische Auslegen, so daß zum
Beispiel der Weg des Erzengels Gabriel von Elisabeth zu
Maria nichts anderes bedeuten solle als das Schreiten der
Sonne vom Sternbilde der Jungfrau zu einem andern. Das
ist etwas, was in gewisser Weise richtig ist; nur werden diese
Gedanken unserer Zeit in dieser Art eingeflößt von den
Wesenheiten, die während der ägyptisch-chaldäischen Zeit
zurückgeblieben sind. Man will unter solchem Einflusse
glauben machen, daß die Evangelien nur Allegorien darstellten für gewisse kosmische Verhältnisse. In Wahrheit
liegt die Sache so, daß in dem Christus sich der ganze Kosmos ausspricht, daß man also das Christus-Leben ausdrücken
kann, indem man für seine einzelnen Vorgänge die kosmischen Verhältnisse anführt, die fortwährend *durch Christus*
in das Erdendasein hereinwirken. So wird eine richtige Auffassung dieser Sache zur vollen Anerkennung des irdisch-
lebenden Christus führen müssen, während der charakteri-
sierte Irrtum meint, wenn er gewahr wird, es werde das
Christus-Leben in den Evangelien durch kosmische Konstellationen ausgedrückt, dies beweise, daß *nur* diese Konstellationen allegorisch behandelt werden, und daß es keinen irdisch-realen Christus gegeben habe.

Wenn ein Vergleich gebraucht werden dürfte, so könnte
man sagen: Man denke sich jeden Menschen unter dem Bilde
einer spiegelnden Kugel. Wenn man sich einen Kugelspiegel
aufgestellt denkt, so gibt er Bilder seiner ganzen Umgebung.
Man nehme an, wir führten mit dem Stift die Umrisse nach,

welche die ganze Umgebung abbilden. Man könnte dann den Spiegel nehmen und das Abbild überall hintragen. Dies sei ein Sinnbild für die Tatsache, daß, wenn ein Mensch geboren wird, er ein Abbild des Kosmos in sich trägt, und dann die Wirkung dieses *einen* Bildes durch das ganze Leben mit sich führt. Man könnte nun aber auch den Spiegel so lassen, daß er überall, wohin man ihn trägt, die Umgebung abbildet. Dann gibt er stets ein Bild der gesamten Umgebung. Das wäre das Sinnbild des Christus von der Johannes-Taufe bis zum Mysterium von Golgatha. Was bei einem andern Menschen mit der Geburt in das irdische Dasein einfließt, das floß in den Christus Jesus in *jedem Augenblick* ein. Und als das Mysterium von Golgatha sich vollzog, ging das, was aus dem Kosmos eingestrahlt war, in die geistige Substanz der Erde über und ist seit jener Zeit mit dem Geiste der Erde verbunden.

Als Paulus vor Damaskus hellsichtig geworden war, konnte er erkennen, daß in den Geist der Erde übergegangen war, was früher im Kosmos war. Davon wird sich jeder überzeugen können, der seine Seele dazu bringen kann, das Ereignis von Damaskus nachzuleben. Im zwanzigsten Jahrhundert werden die ersten Menschen auftreten, welche das Christus-Ereignis des Paulus in geistiger Weise erleben werden.

Während bis zu dieser Zeit dieses Ereignis nur diejenigen Menschen erleben konnten, welche sich durch esoterische Schulung hellsichtige Kräfte aneigneten, wird künftig durch die naturgemäße Menschheitsentwickelung den fortschreitenden Seelenkräften das Schauen Christi in der Geistes-Sphäre der Erde möglich sein. Dies wird – als ein Nachleben des Ereignisses von Damaskus – von einem bestimmten Zeitpunkte des zwanzigsten Jahrhunderts an einigen Menschen möglich sein; dann wird sich deren Zahl vergrößern, bis es in fernerer Zukunft eine natürliche Fähigkeit der Menschenseele sein wird.

*

Mit dem Eintritt des Christus in die Erdenentwickelung war ein völlig neuer Einschlag für diese Entwickelung gegeben. Es zeigen auch die äußeren Tatsachen der Geschichte den Ausdruck davon. In den ersten Zeiten der nachatlantischen Entwickelung haben die Menschen sehr wohl gewußt: über uns ist nicht nur ein physischer Mars; sondern was wir sehen als Mars oder als Jupiter oder Saturn, das ist der Ausdruck für geistige Wesenheiten. Es wurde in der Folgezeit diese Anschauung völlig vergessen. Die Weltenkörper wurden für die menschliche Meinung bloß Körper, die nach physischen Verhältnissen beurteilt wurden. Und im Mittelalter sahen die Menschen von den Sternen nur noch, was die Augen sehen können: die Sphäre der Venus, die Sphäre der Sonne, des Mars und so weiter bis zur Sphäre des Fixsternhimmels; und dann kam die achte Sphäre, wie eine blaue, feste Wand dahinter. Dann kam *Kopernikus* und schlug Bresche in die Anschauung, daß nur dasjenige maßgebend sein könnte, was die Sinne sehen. – Die heutigen physischen Wissenschafter können gewiß sagen: Da treten so verworrene Köpfe auf, welche behaupten, die Welt ist Maja, ist Illusion, und man müsse in eine geistige Welt hineinschauen, um die Wahrheit zu erkennen, während doch wahre Wissenschaft die ist, welche sich an die Sinne hält und das verzeichnet, was die Sinne sagen. – Wann haben denn die Astronomen nur auf die Sinne vertraut?

Damals, als die astronomische Wissenschaft herrschte, die heute bekämpft wird!

Als Kopernikus anfing, dasjenige auszudenken, was über den Sinnesschein hinaus im Weltenraum vorhanden ist, da fing erst die heutige moderne Astronomie als Wissenschaft an. Und so ist es tatsächlich auf allen Wissensgebieten. Überall, wo im modernsten Sinne Wissenschaft entstanden ist, entstand sie *gegen* den Sinnesschein. Als Kopernikus erklärte: Was ihr seht, ist Maja, ist Täuschung; verlaßt euch auf das, was ihr *nicht* sehen könnt!, da wurde das Wissenschaft, was man heute als solche anerkennt. Man könnte also den Vertretern der heutigen Wissenschaft sagen: Eure Wissenschaft ist selber erst dann «Wissenschaft» geworden, als sie sich nicht mehr auf die Sinne verlassen wollte. Es kam Giordano Bruno, als philosophischer Ausdeuter der Lehre des Kopernikus. Er lenkte den Blick hinaus in den Weltenraum und verkündete: Was man die Grenze des Raumes genannt hat, was man als achte Sphäre hingestellt hat, die alles räumlich begrenzt, das ist keine Grenze. Das ist Maja, Schein; denn es ist in den Weltenraum ergossen eine Unzahl von Welten. Was man vorher als Grenze des Raumes glaubte, das wurde nunmehr die Grenze der Sinneswelt der Menschen. Man wende hinaus den Blick *über* die Sinneswelt: wird man die Welt nicht mehr sehen, wie sie nur die Sinne zeigen, dann wird man auch die Unendlichkeit erkennen.

Es ist aus diesem ersichtlich, wie der Verlauf der Menschheitsentwickelung so ist, daß der Mensch von einer ursprünglichen geistigen Anschauung des Kosmos ausgegangen ist, und daß er diese im Laufe der Zeiten verloren hat. An ihre Stelle war eine bloß sinnliche Auffassung der Welt getreten. Da trat in die Entwickelung der Christus-Impuls ein. Durch diesen wird die Menschheit dazu geführt, der materialistischen Anschauung wieder das Geistige einzuprägen. In dem Augenblicke, da Giordano Bruno die Fesseln des Sinnenscheins durchbrach, war die Christus-Entwickelung so weit, daß in ihm die Seelenkraft tätig sein konnte, welche durch diesen Christus-Impuls entzündet war. Damit ist auf die ganze Bedeutung des Einlebens des Christus in alle Menschheitsentwickelung hingewiesen. Auf eine Entwickelung, an deren Anfang gegenwärtig im Grunde erst die Menschheit steht.

Was strebt nun die Geisteswissenschaft an?

Sie vollendet das Werk, das durch Giordano Bruno und andere geschehen ist für die äußere physische Wissenschaft, indem sie sagt: Maja, Illusion ist das, was die äußere Wissenschaft erkennen kann. Wie man früher bis zur «achten Sphäre» geschaut hat und den Raum begrenzt glaubte, so glaubt das heutige Denken den Menschen eingeschlossen zwischen Geburt und Tod. Die geistige Wissenschaft aber erweitert den Blick über Geburt und Tod hinaus.

Es ist eine geschlossene Kette in der Menschheitsentwickelung, die sich durch solche Ideen erkennen läßt. Und im wahren Sinne des Wortes ging das, was für den Raum als Überwindung des Sinnenscheins durch Kopernikus und Giordano Bruno ausgeführt worden ist, schon hervor aus den Inspirationen derjenigen geistigen Strömung, welcher auch die neuere Geisteswissenschaft oder Theosophie folgt. Was man die neuere Esoterik nennen kann, das wirkte in geheimnisvoller Art auf Kopernikus, Bruno, Kepler und andere. Und die, welche heute auf dem Boden des Giordano Bruno und des Kopernikus stehen und nicht die Theosophie annehmen wollen, sie werden ihren eigenen Traditionen untreu, indem sie an dem Sinnenschein festhalten wollen. Die Geisteswissenschaft aber zeigt: Wie Giordano Bruno das blaue Himmelsgewölbe durchbrach, so durchbricht diese Wissenschaft die Grenzen von Geburt und Tod für den Menschen, indem sie zeigt, wie der aus dem Makrokosmos stammende Mensch im physischen Dasein lebt, und durch den Tod hindurch wieder in ein makrokosmisches Dasein eintritt. Und was wir in jedem einzelnen Menschen im beschränkten Maße sehen, das tritt uns im großen entgegen in dem Repräsentanten des Kosmos-Geistes, in dem Christus Jesus. Und nur *einmal* konnte dieser Impuls gegeben werden, den der Christus gab. Nur einmal konnte sich so der ganze Kosmos spiegeln; denn diese Konstellation, wie sie damals vorhanden war, sie kommt nicht wieder. Diese Konstellation mußte durch einen Menschenkörper wirken, damit sie auf der Erde den Impuls geben konnte. So wahr, wie diese selbe Konstellation nicht ein zweites Mal eintritt, so wahr ist der Christus nur einmal zur Verkörperung gekommen. Nur wenn man nicht weiß, daß der Christus der Repräsentant des ganzen Weltalls ist, und man sich nicht durchringen kann zu dieser Christus-Idee, zu der durch die Geisteswissenschaft die Elemente gegeben werden, nur dann kann man behaupten, daß der Christus mehrmals auf Erden erscheinen könne.

So zeigt sich, wie eine Christus-Idee aus der neueren Geisteswissenschaft oder Theosophie entspringt, welche dem Menschen seine Verwandtschaft mit dem ganzen Makrokosmos in einer erneuerten Weise zeigt. Es bedarf wahrhaftig, um den Christus wirklich kennenzulernen, derjenigen inspirierenden Kräfte, die jetzt auftreten durch die selber von dem Christus geführten alten ägyptischen und chaldäischen übermenschlichen Wesenheiten. Es bedarf einer solchen *neuen* Inspiration, der Inspiration, welche vorbereitet haben die großen Esoteriker des Mittelalters vom dreizehnten Jahrhundert an und die immer mehr und mehr von jetzt ab in die Öffentlichkeit dringen muß. Wenn sich im Sinne dieser Wissenschaft der Mensch in seiner Seele in richtiger Weise vorbereitet zur Erkenntnis der Geisteswelt, dann kann er hören hellhörend, sehen hellsichtig, was offenbaren die alten chaldäischen und ägyptischen Mächte, die jetzt geistige Leiter geworden sind unter der Anführung der Christus-Wesenheit. Was da der Menschheit einmal erstehen wird, das konnte in den ersten christlichen Jahrhunderten bis zu unserer Zeit nur vorbereitet werden. Daher dürfen wir sagen: Es wird künftig eine Christus-Idee leben in den Herzen der Menschen, an Größe mit nichts zu vergleichen, was bisher die Menschheit zu erkennen glaubte. Was entstanden ist als erster Impuls durch Christus und gelebt hat als Vorstellung von ihm bis heute – selbst bei den besten Vertretern des Christus-Prinzipes –, das ist nur eine Vorbereitung zu der wirklichen Erkenntnis des Christus. Es wäre recht sonderbar, könnte aber geschehen, daß denen, welche im Abendlande die Christus-Idee in solchem Sinne zum Ausdruck bringen, vorgeworfen würde, sie stünden nicht auf dem Boden der christlichen Tradition des Abendlandes. Denn diese christliche Tradition des Abendlandes reicht durchaus nicht aus, um den Christus für eine nächste Zukunft zu begreifen.

Von den Voraussetzungen der abendländischen Esoterik aus kann man die geistige Führung der Menschheit allmählich einfließen sehen in eine solche, die man im echten wahren Sinne die aus dem Christus-Impuls kommende *Führung* nennen kann. Was als die neuere Esoterik auftritt, wird langsam in die Herzen der Menschen einfließen; und die geistige Führung des Menschen und der Menschheit wird bewußt immer mehr und mehr in solchem Lichte gesehen werden. Man vergegenwärtige sich, wie erst das Christus-Prinzip in die Herzen der Menschen eingeflossen ist dadurch, daß der Christus in dem physischen Leibe des Jesus von Nazareth in Palästina wandelte. Da haben die Menschen, die sich allmählich ganz dem Vertrauen in die sinnliche Welt ergeben hatten, den Impuls empfangen können, der ihrer Auffassung entsprach. Dann hat derselbe Impuls durch die Inspiration der neueren Esoterik so gewirkt, daß inspiriert werden konnten Geister wie Nikolaus Cusanus, Koperni-kus, Galilei, so daß zum Beispiel Kopernikus den Satz geltend machen konnte: Der Sinnenschein kann nicht die Wahrheit über die Sonnensysteme lehren; will man die Wahrheit finden, so muß man hinter dem Sinnenschein for-schen. – Damals waren die Menschen noch nicht reif, selbst Geister wie Giordano Bruno nicht, sich der neueren esoteri-schen Strömung *bewußt* einzugliedern; sie mußten unbewußt in sich wirksam haben den Geist dieser Strömung. Giordano Bruno verkündete großartig und gewaltig: Wenn ein Mensch durch die Geburt ins Dasein tritt, so ist es ein Makrokosmisches, das sich konzentriert als eine Monade, und wenn ein Mensch durch den Tod geht, so dehnt sich die Monade wieder aus; was im Körper zusammengeschlossen war, dehnt sich im Weltall aus, um sich in anderen Daseins-stufen wieder zusammenzuziehen und wieder auszudehnen. Damals sprachen aus Bruno gewaltige Begriffe, die ganz und gar im Sinne der neueren Esoterik, wenn auch wie ein Stammeln sind.

Die geistigen Einflüsse, welche die Menschheit führen, brauchen nicht dadurch zu wirken, daß der Mensch sich ihrer immer bewußt ist. Sie setzen zum Beispiel den Menschen Galilei in den Dom von Pisa. Tausende haben dort die alte Kirchenlampe gesehen, haben aber nicht gesehen wie Galilei. Er sah die Kirchenlampe schwingen, und verglich die Schwingungszeiten mit dem Ablauf seiner Pulsschläge. So fand er, daß in regelmäßigem Rhythmus, dem Pulsrhythmus ähnlich, die Kirchenlampe schwingt. Daraus hat er dann die «Pendelgesetze» gefunden im Sinne der neueren Physik. Wer die heutige Physik kennt, der weiß, daß sie nicht möglich wäre ohne die Galileischen Prinzipien. – So wirkte damals das, was gegenwärtig in der Geisteswissenschaft auftritt; es setzte Galilei hin in den Dom von Pisa vor die schwingende Kirchenlampe, und die heutige Physik bekam ihre Prinzipien. So wirken in geheimnisvoller Art die geistigen führenden Kräfte der Menschheit.

Man geht jetzt der Zeit entgegen, in welcher sich die Menschen auch dieser führenden Kräfte bewußt werden sollen. Man wird immer mehr und mehr begreifen, was in der Zukunft geschehen muß, wenn man dasjenige richtig versteht, was als neuere Esoterik inspirierend wirkt, und was zeigt, daß dieselben geistigen Wesenheiten, auf welche die alten Ägypter hingedeutet haben, als die Griechen sie nach ihren Lehrern fragten, daß diese selben Wesenheiten, die damals als Götter geherrscht haben, jetzt wieder herrschend werden, aber sich jetzt der Führung des Christus unterstellen wollen. Immer mehr und mehr werden die Menschen fühlen, wie sie das, was vorchristlich ist, in einem höheren Glanze und Stil, auf einer höheren Stufe wiedererstehen lassen können. – Das Bewußtsein, das der Gegenwart notwendig ist, und das ein gestärktes Bewußtsein sein muß, eine hohe Pflicht-Verantwortlichkeit sein soll gegenüber dem Erkennen der geistigen Welt, das kann nur in unsere Seele einziehen, wenn in dem gekennzeichneten Sinne die Aufgabe der Geisteswissenschaft erfaßt wird.

ANMERKUNGEN ZU DIESER AUSGABE

zu Seite

7 *Vorträge (6. bis 8. Juni)... in Kopenhagen im Anschluß an die General-versammlung der skandinavischen Theosophischen Gesellschaft:* Zu je-ner Zeit (1911), als Rudolf Steiner die hier zur Schrift umgearbeiteten Vorträge hielt, wirkte er noch im Rahmen der Theosophischen Gesell-schaft und gebrauchte demzufolge auch die Bezeichnungen «Theoso-phie» und «theosophisch», jedoch immer im Sinne seiner selbständigen Geistesforschung. Vergleiche hierzu die Selbstbiographie «Mein Le-bensgang» (Gesamtausgabe Dornach, Bibl.-Nr. 28), sowie die chrono-logische Lebensübersicht am Schluß dieses Bandes.

in meinen Büchern «Theosophie» und «Geheimwissenschaft»: Vgl. Li-teraturhinweis auf S. 91.

24 *«Dies ist mein vielgeliebter Sohn ...»:* Matth. 3,17 und 17,5.

26 *«Ich bin der Weg ...»:* Joh. 14,6.

28 *«Nicht ich, sondern der Christus in mir!»:* An die Galater 2,20: «Ich lebe aber; doch nun nicht ich, sondern der Christus lebet in mir.»

31 *Sokrates,* 470–399 v. Chr., griechischer Philosoph.

Plato, 427–347 v. Chr., der größte Schüler des Sokrates.

Dämon: Vergl. hierzu die Schilderungen Platos in seinen Dialogen «Apologie» (31 C f.) und «Phaidros» (242 A f.).

33 *Menes,* ägyptischer König etwa 3400 v. Chr., erster König der 1. Dyna-stie.

dem fragenden Griechen: Damit ist Herodot gemeint.

52 *Johannes Kepler,* 1571–1630.

Man kann in Keplers Schriften selbst lesen: In der Vorrede zum V. Buch seines Werkes «Harmonices Mundi» (1619). Wörtlich (übertragen durch M. Caspar in «Johannes Kepler»): «Ja, ich bin es, ich habe die goldenen Gefäße der Ägypter geraubt, um meinem Gott aus ihnen ein Heiligtum zu errichten, fern von den Grenzen Ägyptens. Wenn ihr mir vergebt, werde ich mich freuen, wenn ihr zürnt, werde ich es tragen; – hier werf ich den Würfel und schreibe dies Buch für den heutigen wie den dereinstigen Leser – was liegt daran? Und wenn es auf seinen Leser hundert Jahre warten muß: Gott selbst hat sechs Jahrtausende dessen geharrt, der sein Werk erkennend erblickt.»

67   *Zarathustra* lebte in uralten Zeiten – die Griechen schon versetzten ihn
      in die Zeit 5000 Jahre vor dem Trojanischen Krieg –; er hat nichts zu tun
      mit dem Zarathustra, den die äußere Geschichte erwähnt. Siehe hierzu
      die Ausführungen in dem Vortrag «Zarathustra» (Berlin, 19. Januar
      1911) in «Antworten der Geisteswissenschaft auf die großen Fragen des
      Daseins, Gesamtausgabe Dornach, Bibl.-Nr. 60.

72   *«im Nebellande jung geworden»:* «Faust», II. Teil, 2. Akt, Laborato-
      rium. Wörtlich: «Im Nebelalter jung geworden . . .»

79   *Es erscheinen Literaturwerke:* Zum Beispiel Arthur Drews: «Die Chri-
      stusmythe», 2 Bde., Jena 1910/11.

81   *Nikolaus Kopernikus,* 1473–1543, Astronom; Hauptwerk: «De revo-
      lutionibus orbium coelestium» (1543).

82   *Giordano Bruno,* 1548–1600 (als Ketzer verbrannt), Philosoph; vergl.
      bes. «De l'infinito universo e mondi» («Vom unendlichen All und den
      Welten», 1584).

86   *Nikolaus Cusanus* (Nikolaus von Kues) 1401–1464, Philosoph und
      Kirchenpolitiker.

      Galileo Galilei, 1564–1642, italienischer Naturforscher; vergl. sein er-
      stes Hauptwerk «Dialog über die beiden großen Weltsysteme» (1626/
      30 geschrieben).

LITERATURHINWEIS

(GA = Rudolf Steiner Gesamtausgabe)

Zur Weiterführung und Vertiefung der Darstellungen des vorliegenden Bandes sei auf folgende Ausgaben von Rudolf Steiner verwiesen:

Schriften

Das Christentum als mystische Tatsache und die Mysterien des Altertums. GA Bibl.-Nr. 8 (Taschenbuch 619)

Theosophie. Einführung in übersinnliche Welterkenntnis und Menschenbestimmung. GA Bibl.-Nr. 9 (Taschenbuch 615)

Die Geheimwissenschaft im Umriß. GA Bibl.-Nr. 13 (Taschenbuch 601)

Vorträge

Welt, Erde und Mensch, deren Wesen und Entwickelung, sowie ihre Spiegelung in dem Zusammenhang zwischen ägyptischem Mythos und gegenwärtiger Kultur. Elf Vorträge, Stuttgart 4.–16. August 1908. GA Bibl.-Nr. 105

Ägyptische Mythen und Mysterien. Zwölf Vorträge, Leipzig 2.–14. September 1908. GA Bibl.-Nr. 106

Das Lukas-Evangelium. Zehn Vorträge, Basel 15.–24. September 1909. GA Bibl.-Nr. 114

Die tieferen Geheimnisse des Menschheitswerdens im Lichte der Evangelien. Zwölf Einzelvorträge, gehalten 1909 in verschiedenen Städten. GA Bibl.-Nr. 117

Das Matthäus-Evangelium. Zwölf Vorträge, Bern 1.–12. September 1910. GA Bibl.-Nr. 123

Das esoterische Christentum und die geistige Führung der Menschheit. Dreiundzwanzig Einzelvorträge aus den Jahren 1911 und 1912. GA Bibl-Nr. 130

Das Lebenswerk, welches Rudolf Steiner der Nachwelt hinterlassen hat, dürfte nach Gehalt und Umfang innerhalb der Kulturwelt wohl ohne Beispiel dastehen. Seine Schriften – die Werke und Aufsätze – bilden die Grundlage für das, was er im Laufe seines Lebens in Vorträgen und Kursen seinen Zuhörern als «anthroposophisch orientierte Geisteswissenschaft» von immer neuen Aspekten aus darstellte und ausführte. Der größte Teil dieser rund sechstausend Vorträge ist in Nachschriften erhalten geblieben. Daneben entfaltete er auch auf künstlerischem Gebiet eine große Tätigkeit, welche ihren Höhepunkt in der Errichtung des ersten Goetheanumbaues in Dornach fand. So liegen eine große Anzahl malerischer, plastischer und architektonischer Arbeiten, Entwürfe und Skizzen von seiner Hand vor. Die durch ihn gegebenen Anregungen für die Erneuerung zahlreicher Lebensgebiete beginnen in der gegenwärtigen Zeit vermehrte Beachtung zu finden.

Seit dem Jahre 1956 wird durch die «Rudolf Steiner-Nachlaßverwaltung» an der Herausgabe der *Rudolf Steiner Gesamtausgabe* gearbeitet, die einen Umfang von etwa 330 Bänden erhalten wird. In den beiden ersten Abteilungen erscheinen die *Schriften* und das *Vortragswerk*, während in einer dritten Abteilung das *künstlerische Werk* in geeigneter Form zur Wiedergabe gelangt.

Einen systematischen Überblick über das Gesamtwerk gibt die 1961 erschienene Bibliographie: *«Rudolf Steiner. Das literarische und künstlerische Werk. Eine bibliographische Übersicht»*, auf welche sich die im folgenden verwendete Bezeichnung «Bibl.-Nr.» bezieht. Über den jeweiligen Stand der erschienenen Bände orientiert der Katalog des «Rudolf Steiner Verlages».

Chronologischer Lebensabriß
(zugleich Übersicht über die geschriebenen Werke)

1861   Am 27. Februar wird Rudolf Steiner in Kraljevec (damals Österreich-Ungarn, heute Jugoslawien) als Sohn eines Beamten der österreichischen Südbahn geboren. Seine Eltern stammen aus Niederösterreich. Er verlebt seine Kindheit und Jugend an verschiedenen Orten Österreichs.

1872   Besuch der Realschule in Wiener-Neustadt bis zum Abitur 1879.

1879	Studium an der Wiener Technischen Hochschule: Mathematik und Naturwissenschaft, zugleich Literatur, Philosophie und Geschichte. Grundlegendes Goethe-Studium.
1882	Erste schriftstellerische Tätigkeit.
1882–1897	Herausgabe von Goethes Naturwissenschaftlichen Schriften in Kürschners «Deutsche National-Litteratur», fünf Bände (Bibl.-Nr. 1 a–e). Eine selbständige Ausgabe der Einleitungen erschien 1925 unter dem Titel *Goethes Naturwissenschaftliche Schriften* (Bibl.-Nr. 1).
1884–1890	Privatlehrer bei einer Wiener Familie.
1886	Berufung zur Mitarbeit bei der Herausgabe der großen «Sophien-Ausgabe» von Goethes Werken. *Grundlinien einer Erkenntnistheorie der Goetheschen Weltanschauung mit besonderer Rücksicht auf Schiller* (Bibl.-Nr. 2).
1888	Herausgabe der «Deutschen Wochenschrift», Wien (Aufsätze daraus in Bibl.-Nr. 31). Vortrag im Wiener Goethe-Verein: *Goethe als Vater einer neuen Ästhetik* (in Bibl.-Nr. 30).
1890–1897	Weimar. Mitarbeit am Goethe- und Schiller-Archiv. Herausgeber von Goethes Naturwissenschaftlichen Schriften.
1891	Promotion zum Doktor der Philosophie an der Universität Rostock. 1892 erscheint die erweiterte Dissertation: *Wahrheit und Wissenschaft. Vorspiel einer «Philosophie der Freiheit»* (Bibl.-Nr. 3).
1894	*Die Philosophie der Freiheit. Grundzüge einer modernen Weltanschauung. Seelische Beobachtungsresultate nach naturwissenschaftlicher Methode* (Bibl.-Nr. 4).
1895	*Friedrich Nietzsche, ein Kämpfer gegen seine Zeit* (Bibl.-Nr. 5).
1897	*Goethes Weltanschauung* (Bibl.-Nr. 6) Übersiedlung nach Berlin. Herausgabe des «Magazin für Literatur» und der «Dramaturgischen Blätter» zusammen mit O. E. Hartleben. (Aufsätze daraus in Bibl.-Nrn. 29–32). Wirksamkeit in der «Freien literarischen Gesellschaft», der «Freien dramatischen Gesellschaft», im «Giordano Bruno-Bund», im Kreis der «Kommenden» u. a.
1899–1904	Lehrtätigkeit an der von W. Liebknecht gegründeten Berliner «Arbeiter-Bildungsschule».

1900/01	*Welt- und Lebensanschauungen 19. Jahrhundert,* 1914 erweitert zu: *Die Rätsel der Philosophie* (Bibl.-Nr. 18). Beginn der anthroposophischen Vortragstätigkeit auf Einladung der Theosophischen Gesellschaft in Berlin. *Die Mystik im Aufgange des neuzeitlichen Geisteslebens* (Bibl.-Nr. 7).
1902–1912	Aufbau der Anthroposophie. Regelmäßige öffentliche Vortragstätigkeit in Berlin und ausgedehnte Vortragsreisen in ganz Europa. Marie von Sivers (ab 1914 Marie Steiner) wird seine ständige Mitarbeiterin.
1902	*Das Christentum als mystische Tatsache und die Mysterien des Altertums* (Bibl.-Nr. 8).
1903	Begründung und Herausgabe der Zeitschrift «Luzifer», später «*Lucifer-Gnosis*» (Aufsätze in Bibl.-Nr. 34).
1904	*Theosophie. Einführung in übersinnliche Welterkenntnis und Menschenbestimmung* (Bibl.-Nr. 9).
1904/05	*Wie erlangt man Erkenntnisse der höheren Welten?* (Bibl.-Nr. 10). *Aus der Akasha-Chronik* (Bibl.-Nr. 11). *Die Stufen der höheren Erkenntnis* (Bibl.-Nr. 12).
1910	*Die Geheimwissenschaft im Umriß* (Bibl.-Nr. 13).
1910–1913	In München werden die *Vier Mysteriendramen* (Bibl.-Nr. 14) uraufgeführt.
1911	*Die geistige Führung des Menschen und der Menschheit* (Bibl.-Nr. 15).
1912	*Anthroposophischer Seelenkalender. Wochensprüche* (in Bibl.-Nr. 40, und selbständige Ausgaben). *Ein Weg zur Selbsterkenntnis des Menschen* (Bibl.-Nr. 16).
1913	Trennung von der Theosophischen und Begründung der Anthroposophischen Gesellschaft. *Die Schwelle der geistigen Welt* (Bibl.-Nr. 17).
1913–1923	Errichtung des in Holz als Doppelkuppelbau gestalteten ersten Goetheanum in Dornach/Schweiz.
1914–1923	Dornach und Berlin. In Vorträgen und Kursen in ganz Europa gibt Rudolf Steiner Anregungen für eine Erneuerung auf vielen Lebensgebieten: Kunst, Pädagogik, Naturwissenschaften, soziales Leben, Medizin, Theologie. Weiterbildung der 1912 inaugurierten neuen Bewegungskunst «Eurythmie».

1914	*Die Rätsel der Philosophie in ihrer Geschichte als Umriß dargestellt* (Bibl.-Nr. 18).
1916–1918	*Vom Menschenrätsel* (Bibl.-Nr. 20). *Von Seelenrätseln* (Bibl.-Nr. 21). *Goethes Geistesart in ihrer Offenbarung durch seinen «Faust» und durch das «Märchen von der Schlange und der Lilie»* (Bibl.-Nr. 22).
1919	Rudolf Steiner vertritt den Gedanken einer «Dreigliederung des sozialen Organismus» in Aufsätzen und Vorträgen, vor allem im süddeutschen Raum. *Die Kernpunkte der sozialen Frage in den Lebensnotwendigkeiten der Gegenwart und Zukunft* (Bibl.-Nr. 23). *Aufsätze über die Dreigliederung des sozialen Organismus* (Bibl.-Nr. 24). Im Herbst wird in Stuttgart die «Freie Waldorfschule» begründet, die Rudolf Steiner bis zu seinem Tode leitet.
1920	Beginnend mit dem Ersten anthroposophischen Hochschulkurs finden im noch nicht vollendeten Goetheanum fortan regelmäßig künstlerische und Vortragsveranstaltungen statt.
1921	Begründung der Wochenschrift «Das Goetheanum» mit regelmäßigen Aufsätzen und Beiträgen Rudolf Steiners (in Bibl.-Nr. 36).
1922	*Kosmologie, Religion und Philosophie* (Bibl.-Nr. 25). In der Silvesternacht 1922/23 wird der Goetheanumbau durch Brand vernichtet. Für einen neuen in Beton konzipierten Bau kann Rudolf Steiner in der Folge nur noch ein erstes Außenmodell schaffen.
1923	Unausgesetzte Vortragstätigkeit, verbunden mit Reisen. Zu Weihnachten 1923 Neubegründung der «Anthroposophischen Gesellschaft» als «Allgemeine Anthroposophische Gesellschaft» unter der Leitung Rudolf Steiners.
1923–1925	Rudolf Steiner schreibt in wöchentlichen Folgen seine unvollendet gebliebene Selbstbiographie *Mein Lebensgang* (Bibl.-Nr. 28) sowie *Anthroposophische Leitsätze* (Bibl.-Nr. 26), und arbeitet mit Dr. Ita Wegman an dem Buch *Grundlegendes für eine Erweiterung der Heilkunst nach geisteswissenschaftlichen Erkenntnissen* (Bibl.-Nr. 27).
1924	Steigerung der Vortragstätigkeit. Daneben zahlreiche Fachkurse. Letzte Vortragsreise in Europa. Am 28. September letzte Ansprache zu den Mitgliedern. Beginn des Krankenlagers.
1925	Am 30. März stirbt Rudolf Steiner in Dornach.